W9-CEG-385

LES 200 MEILLEURES RECETTES DE POULET

Édition originale 1996 au Royaume-Uni par Ultimate Edition,
sous le titre Best ever-Chicken

Distribué par

Sélection Champagne Inc.

Montréal, Québec

(514) 595-3279

ISBN : 2-84198-082-0

Dépot légal : septembre 1998

Imprimé en Singapour

Traduit de l'anglais par Katia Holmes

Editeur : Joanna Lorenz

Rédactrice culinaire : Rosemary Wilkinson

Rédaction : Rosie Hankin

Graphisme : Bill Mason

Recettes : Catherine Atkinson, Alex Barker, Carla Capalbo, Andu Clevely, Christine France,
Carole Handslip, Sarah Gates, Shirley Gill, Norma MacMillan, Sue Maggs, Katherine Richmond,
Jenny Stacey, Ruby Le Bois, Liz Trigg, Hilaire Walden, Laura Washburn, Steven Wheeler

Photographie : Karl Adamson, Edward Allwright, Steve Baxter, James Duncan, John Freeman,
Michele Garrett, Amanda Heywood, Don Last

Stylistes : Madeleine Brehaut, Hilary Guy, Blake Minton, Kirsty Rawlings, Fiona Tillett

Préparation des plats photographiés : Marylin Forbes, Carole Handslip, Jane Hartshorn, Cara Hobday,
Beverly LeBlanc, Wendy Lee, Lucie McKelvie, Jenny Shapter, Elizabeth Silver, Jane Stevenson,
Liz Trigg, Elizabeth Wolf-Cohen

Illustration : Anna Koska

NOTE :

Afin que cet ouvrage puisse être utilisé au Canada,
nous avons conservé les mesures anglo-saxonnes.

Sommaire

Choisir une volaille

Un poulet frais doit avoir des blancs dodus et la peau de couleur crème. L'extrémité du bréchet doit être flexible. On pèse la volaille une fois plumée et vidée, mais on peut inclure les abattis : le cou, le gésier, le cœur et le foie.Le poulet surgelé doit décongeler lentement, au réfrigérateur ou dans un endroit frais. Le plonger dans l'eau chaude le ferait durcir et multiplierait les bactéries.

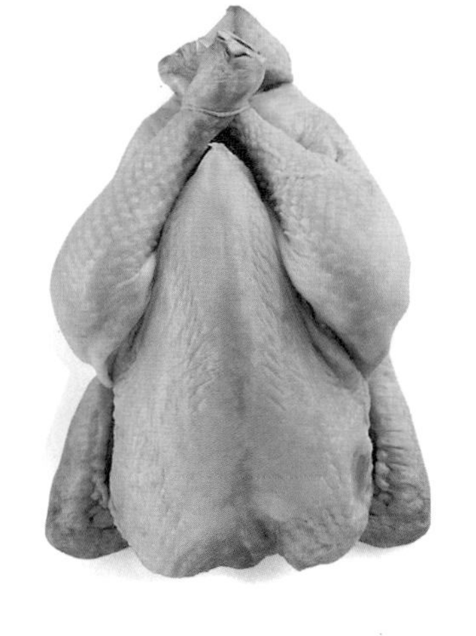

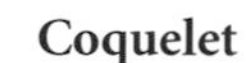

Poussins
Poulet de quatre à six semaines, pesant 450 à 550 g/1 à 1 1/4 lb. En compter un par personne.

Coquelet
Volaille de huit à dix semaines et pesant 800 à 900 g/1 3/4 à 2 lb. En compter un pour deux personnes. Poussins et coquelets gagnent à être grillés, rôtis au four ou à la cocotte.

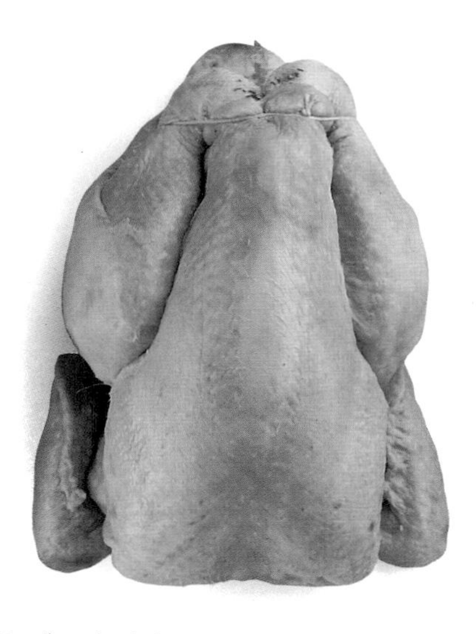

Poulets à rôtir
Volailles de 6 à 12 mois, pesant de 1,500 à 2 kg/3 à 4 lb. Un poulet peut suffire pour une famille de 4 à 6 personnes.

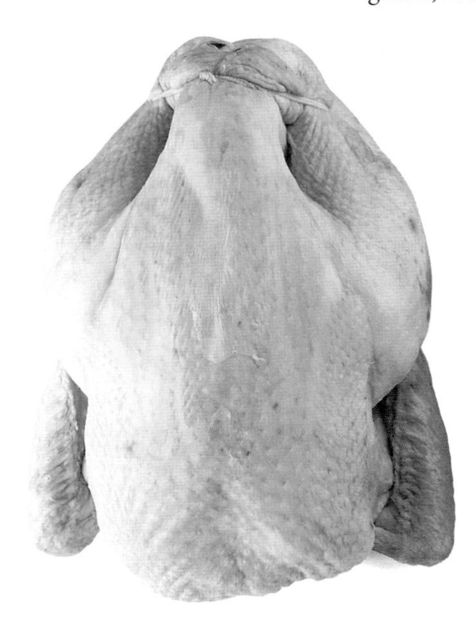

Poules ou coq à bouillir
Volailles de 12 mois et plus et pesant 2 à 3 kg/ 4 à 6 lb. Elles nécessitent une cuisson lente (2 à 3 heures) pour attendrir la chair.

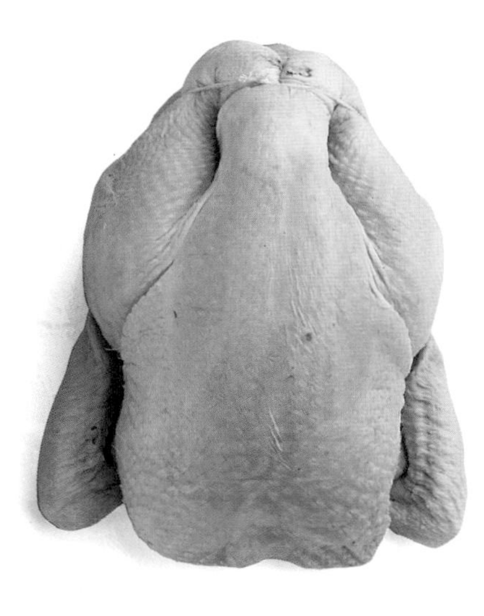

Poulets de grain
Poulets élevés en liberté, généralement plus chers et qui pèsent entre 1,250 et 1,500 kg/2 1/2 et 3 lb.

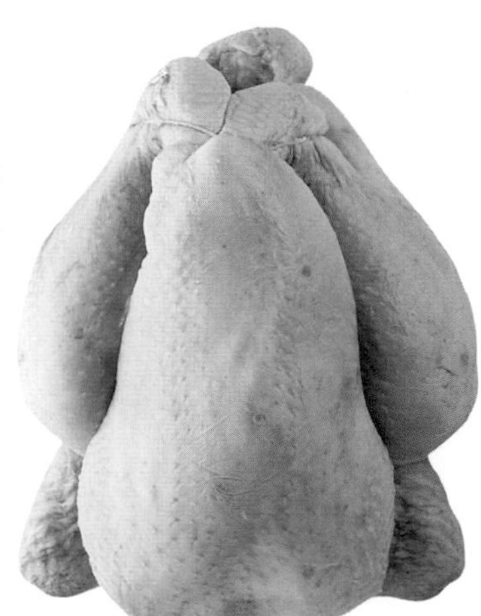

« **Poulets de printemps** »
Volailles d'environ 3 mois et pesant de 900 g à 1,250 kg/2 à 2 1/2 lb. Compter un poulet pour trois à quatre personnes.

Les morceaux de poulet

Si l'on ne veut pas acheter de poulet entier, on en trouve en morceaux préemballés. Certaines méthodes de cuisson conviennent mieux à certains morceaux.

Foie
Délicieux dans les pâtés et les salades.

Pilon (ou cuisse)
Le grand favori des barbecues et des fritures (enrobé de pâte à frire ou pané).

Aile
Elle n'a pas beaucoup de chair et se fait surtout au barbecue ou en friture.

Haut de cuisse désossé et pelé
Très commode pour les recettes où il faut farcir et rouler le poulet.

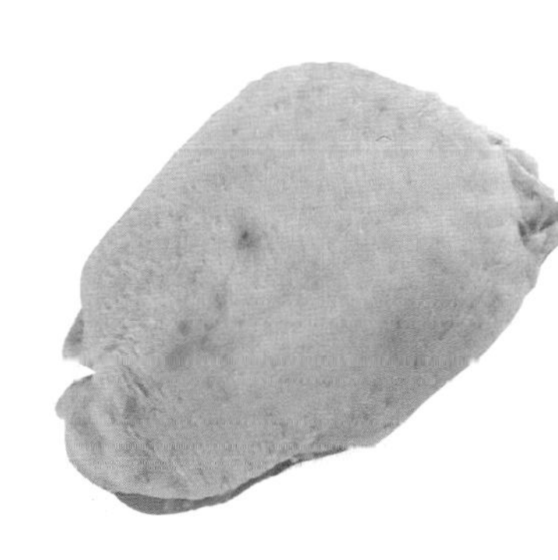

Haut de cuisse
Convient bien à la cuisson en cocotte et autres méthodes de cuisson lente.

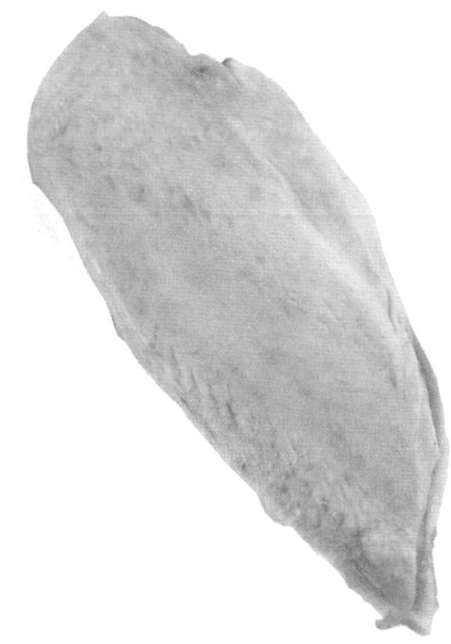

Blanc
Chair tendre qu'on peut simplement faire revenir au beurre ou qu'on peut farcir pour lui donner d'autres saveurs.

Chair de poulet hachée
Moins goûteuse que le steak haché, cette chair peut cependant le remplacer dans certaines recettes.

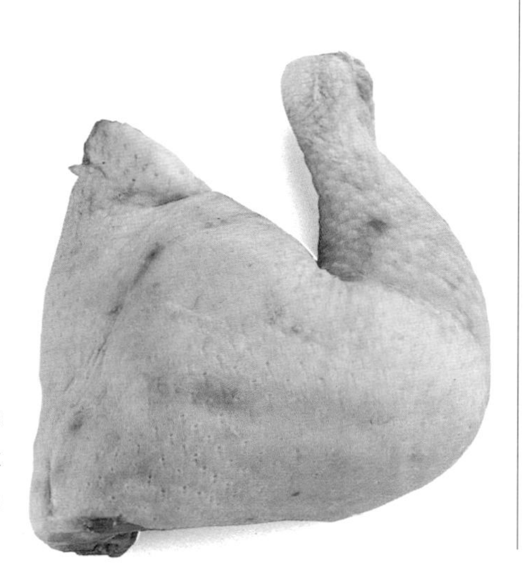

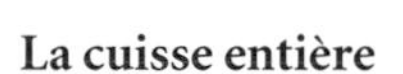

La cuisse entière
Le haut de cuisse et le pilon. Ces gros morceaux, avec os, conviennent aux cuissons lentes (en cocotte) mais on peut aussi les pocher.

Découper une volaille

Bien qu'on trouve des poulets et d'autres volailles déjà découpés en moitiés, en quarts, en blancs, en hauts de cuisse et en pilons, il est parfois intéressant d'acheter la volaille entière et de la découper soi-même. Cela permet d'obtenir exactement les morceaux requis par la recette choisie, soit quatre grands morceaux ou huit petits, et l'on peut s'arranger pour enlever la carcasse du dos et d'autres os qu'on pourra réserver pour le bouillon. Et cela revient aussi moins cher à l'achat.

1 Avec un couteau bien aiguisé, tranchez la peau le long de la cuisse, en descendant vers l'articulation. Tordez la cuisse vers l'extérieur de façon à briser l'articulation.

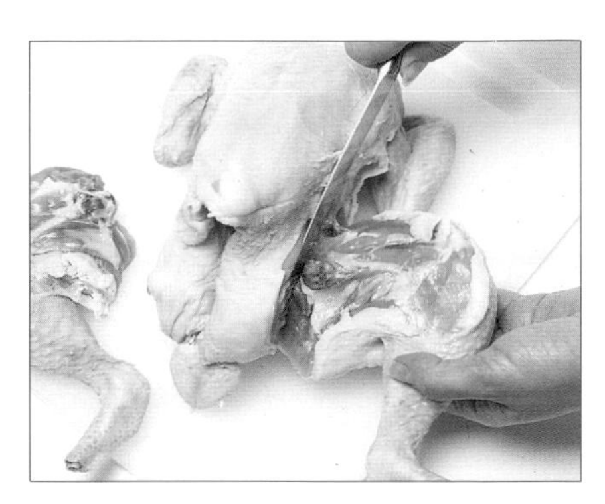

2 Tout en maintenant la cuisse en extension, tranchez l'articulation en coupant le plus ras possible le long de la carcasse du dos, de façon à détacher aussi les « sot-l'y-laisse » qui y sont logés. Répétez l'opération de l'autre côté.

3 Pour séparer la poitrine (bréchet et blancs) du dos de la volaille, coupez à travers le repli de peau qui se trouve sous la cage thoracique, en direction du cou. Tirez de façon à séparer la poitrine du dos et coupez les articulations qui les joignent. Réservez le dos pour le bouillon.

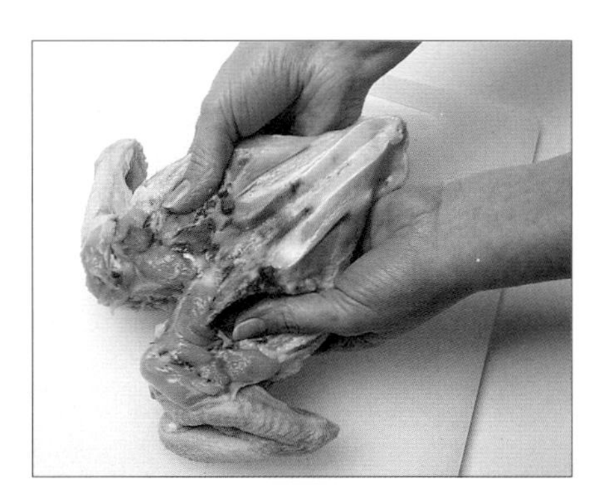

4 Prenez le bréchet dans les mains, les blancs par-dessous. Tenez fermement un blanc dans chaque main et tirez en arrière de façon à déloger le bréchet. Dégagez-le avec les doigts et enlevez-le à l'aide d'un couteau.

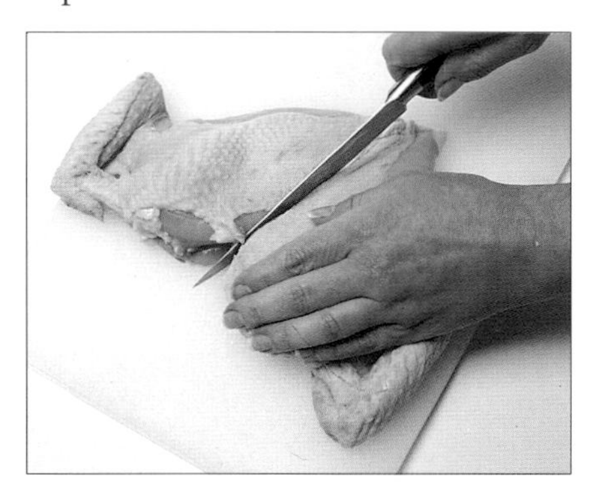

5 Coupez la poitrine en deux, à travers la fourchette (le petit os sternal). Vous avez donc maintenant deux blancs, auxquels sont attachées les ailes, et deux cuisses (hauts de cuisse et pilons).

6 Pour obtenir huit morceaux : coupez chaque blanc en deux, en diagonale. Chaque aile sera ainsi attachée à un morceau de blanc.

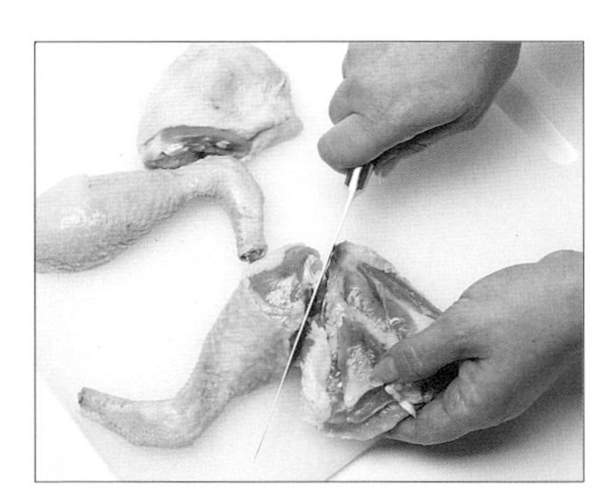

7 Pour couper la cuisse en 2 morceaux, tranchez l'articulation au couteau de façon à avoir un haut de cuisse et un pilon.

TERMES DÉSIGNANT LES BLANCS DE POULET

Un blanc s'appelle « suprême » quand il reste attaché à l'aile. Un blanc complètement désossé s'appelle un filet.

Désosser une volaille

Il peut être nécessaire de désosser une volaille pour réaliser certaines recettes farcies ou pour la découper plus facilement en morceaux. On se servira d'un couteau à lame courte et bien aiguisée. Travaillez par gestes courts, le couteau toujours en appui contre l'os et en raclant bien, de façon à laisser une carcasse bien nette.

La tâche étant un peu délicate, prévoyez suffisamment de temps pour réaliser l'opération avec soin.

Gardez les os et la carcasse pour réaliser un bouillon parfait.

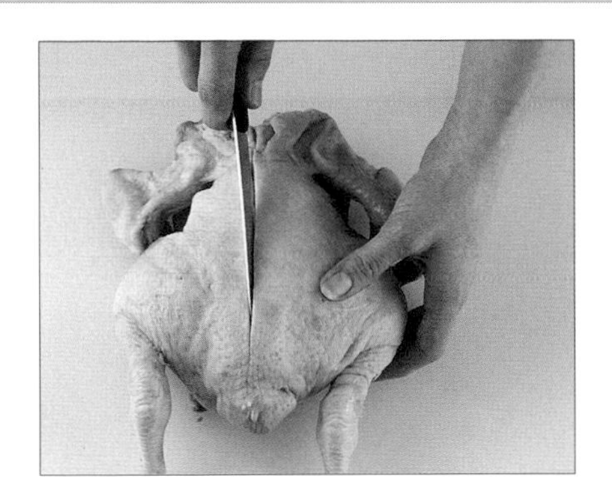

1 Enlevez les éventuels fils de bridage. Coupez et jetez les ailerons. Avec un couteau bien aiguisé à lame courte, coupez la peau du dos du poulet. Levez soigneusement la peau et la chair de la carcasse jusqu'à découvrir les articulations des cuisses.

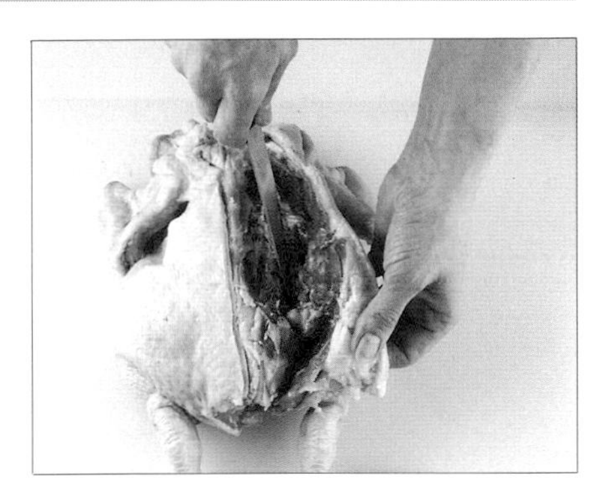

2 Coupez les tendons des articulations de la cuisse et de l'aile, des deux côtés de la carcasse.

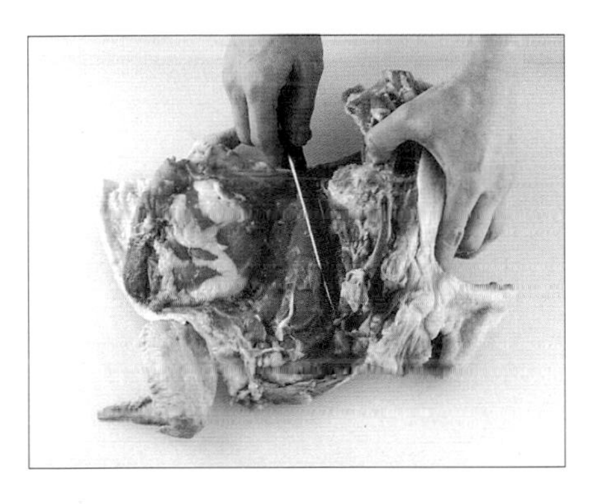

3 Tout en écartant la cage thoracique du reste du corps, découvrez soigneusement le bréchet puis coupez ce qui retient la carcasse. Veillez à ne pas percer la peau, sinon la farce s'échapperait par le trou.

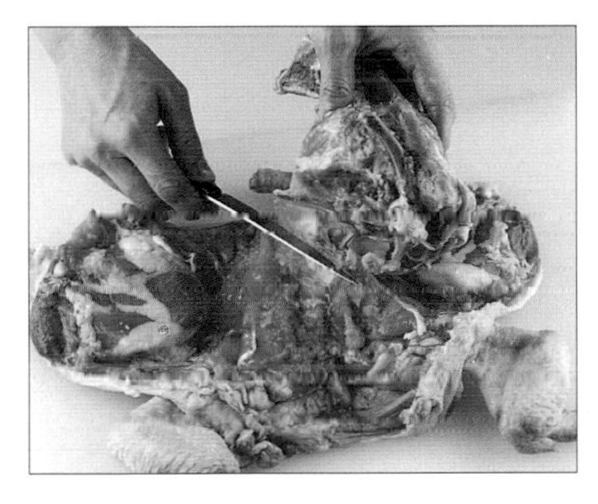

4 Tout en maintenant l'os du pilon d'une main, de l'autre main, avec un couteau bien aiguisé, détachez la chair le long de l'os jusqu'à l'articulation suivante.

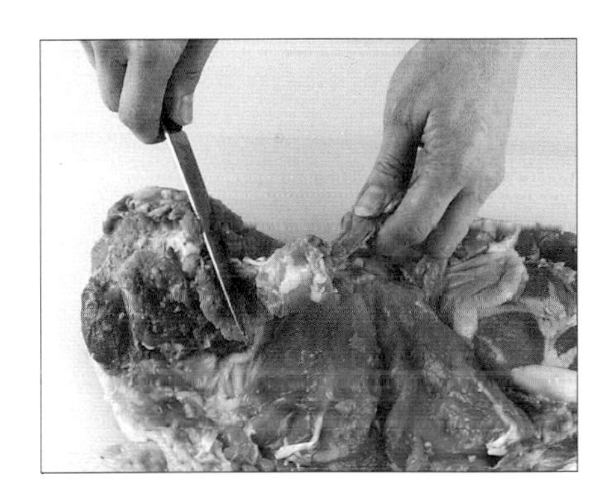

5 Coupez tout autour de l'articulation et continuez à dénuder le pilon jusqu'à ce que tous les os de la cuisse soient libérés. Répétez l'opération avec l'autre cuisse et avec les ailes. Étalez la volaille à plat et repliez la chair des cuisses et des ailes à l'intérieur. Aplatissez la chair pour la préparer à recevoir la farce.

COMMENT MANIPULER DE LA VOLAILLE CRUE ?

La chair de volaille crue pouvant contenir des micro-organismes nocifs, telle la bactérie de la salmonelle, il est essentiel de prendre quelques précautions. Ne manquez jamais de vous laver les mains et de laver la planche à découper, le couteau et le sécateur à volaille, avant et après. Utilisez si possible une planche à découper lavable en lave-vaisselle et réservez une planche à la préparation de la volaille crue. En cas de volaille surgelée, faites-la bien décongeler avant de la cuisiner.

Les sautés de volaille

Combinant la friture et le braisage, le sauté est un mode de cuisson qui donne un résultat particulièrement savoureux. Cette méthode convient pour la volaille en morceaux et pour de petites volailles entières (cailles et poussins).

Comme pour la friture, il faut bien essuyer la volaille au papier absorbant avant cuisson, pour qu'elle dore rapidement et uniformément.

1 Faites chauffer un peu d'huile, un mélange d'huile et de beurre ou du beurre clarifié dans une poêle à fond épais ou dans une sauteuse.

2 Faites sauter la volaille à feu modéré en la faisant dorer uniformément.

3 Mouillez avec le liquide prévu dans la recette et assaisonnez. Portez à ébullition, couvrez, puis réduisez le feu à température modérée. Laissez doucement mijoter jusqu'à ce que le poulet soit cuit, en retournant la volaille une ou deux fois.

4 Si la recette le mentionne, sortez la volaille de la poêle et gardez au chaud pendant qu'on finit la sauce. Pour la sauce, on peut simplement porter les jus de cuisson à ébullition pour les faire réduire, ou mettre du beurre ou de la crème pour la rendre plus onctueuse.

5 Pour épaissir les jus de cuisson, mélangez farine et beurre en poids égal. Comptez 25 g/1 oz de « beurre manié » pour 250 ml/8 fl oz de liquide. Ajoutez peu à peu le beurre manié aux jus chauds. Battez jusqu'à obtenir un mélange lisse.

6 On peut aussi épaissir une sauce à la Maïzena. Diluez 2 c. à café de Maïzena dans 1 c. à soupe d'eau, ce qui suffit pour 250 ml/8 fl oz de jus. Portez à ébullition, battez 2 ou 3 min., jusqu'à ce que la sauce prenne une consistance sirupeuse.

POULET SAUTÉ À LA CAMPAGNARDE

Faites dorer 175 g/6 oz de lardons dans 2 c. à soupe d'huile à feu modéré. Retirez de la sauteuse et réservez. Prenez un poulet de 1,500 kg/3 1/2 lb, découpez en 8 morceaux et roulez-les dans de la farine salée et poivrée. Faites sauter dans la graisse des lardons et dorer uniformément. Versez 3 c. à soupe de vin blanc sec et 250 ml/8 fl oz de bouillon de poulet. Portez à ébullition et ajoutez 225 g/8 oz de champignons sautés dans 1 c. à soupe de beurre et avec les lardons réservés. Couvrez et laissez cuire à feu doux 20 à 25 min., ou le temps que la viande soit bien tendre. Ce plat convient à 4 convives.

Friture de poulet

Le poulet frit jouit d'une grande popularité, et à juste titre : doré et croustillant à l'extérieur, il est parfaitement tendre et juteux à l'intérieur.

Essuyez soigneusement les morceaux au papier absorbant avant de les frire car ils ne doreront pas bien s'il reste la moindre humidité. Si la recette le spécifie, on peut légèrement paner les morceaux avec de l'œuf et de la chapelure, ou les tremper dans une pâte préparée à cet effet.

1 Pour frire à la poêle, chauffez l'huile, un mélange d'huile et de beurre ou du beurre clarifié dans une grande poêle à fond épais, à feu modéré. Quand la graisse est bien chaude, mettez-y les morceaux de poulet, la peau sur le dessous.

2 Faites frire jusqu'à ce que les morceaux soient entièrement dorés de toutes parts et la viande bien cuite. Retournez en cours de cuisson. Retirez les blancs avant les pilons et les hauts de cuisse. Egouttez sur du papier absorbant.

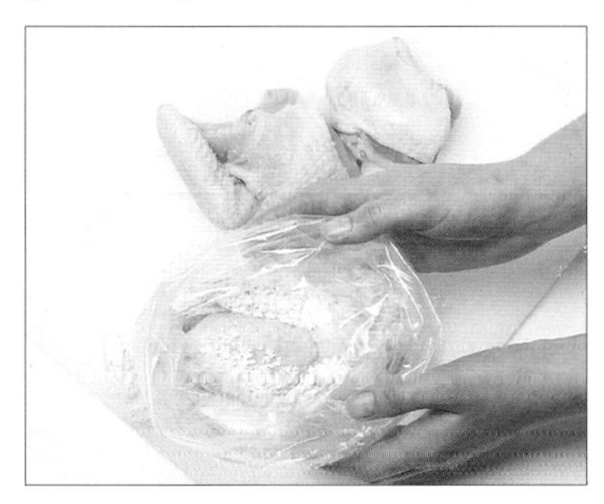

3 Pour frire dans une friteuse à grand bain, trempez les morceaux dans un mélange de lait et d'œuf battu, puis enduisez-les légèrement de farine assaisonnée de sel et de poivre. Laissez reposer 20 min. pour que la farine ait le temps de durcir un peu.

4 Versez de l'huile dans une friteuse en remplissant à demi. Chauffez l'huile à 185°C/365°F/Th. 5. Pour vérifier la température, jetez un cube de pain dans la friture : s'il dore en 50 secondes, c'est que l'huile est à la bonne température.

5 Avec une écumoire ou des pinces, plongez les morceaux de poulet dans l'huile, par petites fournées. Faites dorer en retournant en cours de cuisson.

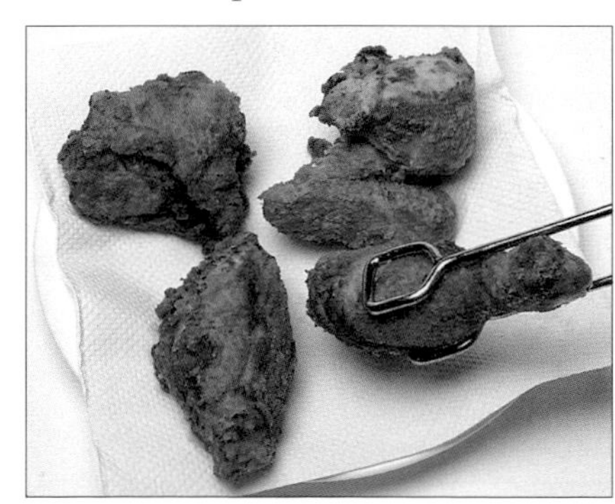

6 Égouttez sur du papier absorbant et servez bien chaud. Gardez au four très doux, sans couvrir, le poulet déjà frit, pendant la friture du reste.

POULET FRIT BIEN JUTEUX

Mélangez 250 ml/8 fl oz de lait et 1 œuf battu dans un plat creux. Sur une feuille de papier sulfurisé, mélangez 150 g/5 oz de farine, 5 ml/1 c. à café de paprika, du sel et du poivre. Mettez 8 morceaux de poulet à tremper ensemble dans l'œuf et le lait, en les retournant. Puis roulez-les dans la farine assaisonnée, en secouant tout excès de farine. Faites frire dans une bassine 25 à 30 min., en retournant les morceaux pour qu'ils dorent uniformément. Egouttez sur du papier absorbant et servez très chaud. Cette recette convient à 4 convives.

Poulet poché, braisé en cocotte

UN BOUILLON SIMPLE

Ce bouillon de poulet peut servir de base à de délicieuses soupes maison.

1 Mettez dans une casserole les abattis (le cou, le gésier et le cœur, mais pas le foie qui donne de l'amertume au bouillon) ou la carcasse d'un poulet cuit et couvrez d'eau froide.

2 Ajoutez un oignon coupé en quatre, une carotte, un bouquet garni (feuille de laurier, thym, persil) et quelques grains de poivre. Portez à ébullition, couvrez et laissez mijoter à feu doux 1 ou 2 heures.

3 Écumez le dessus du bouillon. (On peut aussi faire un bouillon au cours de la cuisson d'un poulet en mettant les abattis, l'oignon et les herbes dans le plat de cuisson, autour du poulet, avec juste assez d'eau pour que cela ne brûle pas.)

4 Une fois le bouillon gélifié, dégraissez la surface à la cuillère. Salez le bouillon quand on l'utilisera.

POCHER

Cette méthode de cuisson douce donne un bouillon qui peut servir ensuite à faire une sauce.

1 Mettez le poulet dans une cocotte avec un bouquet garni (laurier, thym, persil), de la carotte et de l'oignon.

2 Couvrez d'eau et ajoutez du sel et des grains de poivre entiers. Portez à ébullition, couvrez et laissez mijoter environ 1 h 30, ou le temps que la viande soit tendre.

3 Laissez refroidir dans le bouillon, ou retirez. Émincez le poulet et accompagnez d'une sauce blanche.

BRAISER

Cette méthode de cuisson convient à des volailles entières ou en morceaux.

1 Chauffez de l'huile d'olive dans une cocotte et faites dorer un poulet entier ou en morceaux.

2 Retirez le poulet et faites sauter 450 g de carottes, oignons, céleri et navets, coupés en petits dés jusqu'à ce qu'ils soient tendres.

3 Remettez le poulet dans la cocotte, couvrez et laissez cuire à cœur à tout petit feu sur la cuisinière ou dans un four préchauffé à 160°C/325°F/Th. 4.

EN COCOTTE

Cette méthode de cuisson lente convient pour les gros morceaux non désossés ou pour les plus vieilles volailles.

1 Chauffez l'huile d'olive dans une cocotte et faites-y dorer les morceaux de poulet.

2 Mouillez avec du bouillon, du vin ou un mélange des deux, pour que le liquide fasse un fond de 2,5 cm/1 po dans la cocotte. Ajoutez du sel, du poivre, et des herbes, couvrez et faites cuire sur la cuisinière ou au four, comme pour le braisage, pendant 1 h à 1 h 30, ou le temps que la viande soit tendre.

3 À peu près à mi-cuisson, ajoutez des petits légumes revenus, tels que oignons miniatures, petits champignons et jeunes carottes, et des petites pommes de terre nouvelles.

Cinq farces à poulet

FARCE SIMPLE AUX HERBES

INGRÉDIENTS

1 oignon de petite taille, haché fin
1 c. à soupe de beurre
115 g/4 oz de chapelure à base de pain frais
1 c. à soupe de persil frais
1 c. à café d'herbes variées, séchées
1 œuf battu
sel et poivre noir

Faites revenir l'oignon au beurre, à feu doux, jusqu'à ce qu'il soit tendre. Laissez refroidir.

Ajoutez le reste des ingrédients et mélangez bien. Salez, poivrez copieusement.

VARIANTES

À la recette de base ci-dessus, vous pouvez ajouter un ou plusieurs ingrédients de la liste qui suit, afin de modifier la saveur de la farce au gré de votre fantaisie ou du contenu de votre garde-manger.

1 branche de céleri
1 petite pomme, coupée en dés
50 g/2 oz de noix ou d'amandes pilées
25 g/1 oz de raisins secs ou de sultanines
50 g/2 oz de pruneaux ou d'abricots secs, coupés en petits morceaux
50 g/2 oz de champignons coupés fin
écorce râpée d'une demi-orange ou d'un demi-citron
50 g/2 oz de pignons
2 tranches de lard maigre, coupé en petits lardons

FARCE À L'ABRICOT ET À L'ORANGE

INGRÉDIENTS

1 oignon de petite taille, haché fin
1 c. à soupe de beurre
115 g/4 oz de chapelure à base de pain frais
50 g/2 oz d'abricots secs coupés en petits morceaux
écorce râpée d'une demi-orange
1 petit œuf, battu
1 c. à soupe de persil frais haché
sel et poivre noir

Chauffez le beurre dans une poêle et faites revenir l'oignon à feu doux jusqu'à ce qu'il soit tendre.

Laissez refroidir et ajoutez le reste des ingrédients. Mélangez, salez, poivrez généreusement.

FARCE AUX RAISINS SECS ET AUX FRUITS SECS

INGRÉDIENTS

115 g/4 oz de chapelure à base de pain frais
50 g/2 oz de raisins secs
50 g/2 oz de noix, d'amandes, de pistaches ou de pignons
1 c. à soupe de persil frais haché
1 c. à café d'herbes variées, séchées
1 petit œuf, battu
2 c. à soupe de beurre fondu
sel et poivre noir

Mélangez bien tous les ingrédients. Salez et poivrez généreusement.

Farce aux raisins secs et aux fruits secs.

FARCE AU PERSIL, AU CITRON ET AU THYM

INGRÉDIENTS

115 g/4 oz de chapelure 2 c. à soupe de beurre
1 c. à soupe de persil frais haché
1/2 c. à café de thym séché
écorce râpée d'un quart de citron
tranche de lard maigre, coupé en petits lardons
1 petit œuf, battu
sel et poivre noir

Mélangez bien tous les ingrédients.

Farce au persil, au citron et au thym

FARCE À LA CHAIR À SAUCISSE

INGRÉDIENTS

1 c. à soupe de beurre
1 oignon de petite taille, haché fin
2 tranches de lard maigre, coupé en petits lardons
225 g/8 oz de chair à saucisse
2 c. à café d'herbes variées, séchées
sel et poivre noir

Chauffez le beurre dans une poêle et faites revenir l'oignon à feu doux. Ajoutez le lard, faites revenir 5 min. et laissez refroidir.

Ajoutez le reste des ingrédients et mélangez bien.

SOUPES ET ENTRÉES

Soupe de poulet aux lentilles

Une soupe roborative qui peut faire un bon déjeuner.

INGRÉDIENTS

Pour 4 personnes

25 g/1 oz de beurre ou de margarine
1 grande carotte coupée en lamelles
1 oignon haché fin
1 blanc de poireau coupé en fines lamelles
1 branche de céleri coupée fin
115 g/4 oz de champignons coupés en fines lamelles
3 c. à soupe de vin blanc sec
1 litre/1 3/4 pinte de bouillon de poulet
2 c. à café de thym (séché)
1 feuille de laurier
115 g/4 oz de lentilles brunes ou vertes
225 g/8 oz de poulet cuit, coupé en dés
sel et poivre noir

1 Faites fondre le beurre ou la margarine dans une grande casserole. Ajoutez la carotte, l'oignon, le poireau, le céleri et les champignons. Faites revenir 3 à 5 min., le temps que les légumes ramollissent.

2 Ajoutez le vin et le bouillon tout en remuant. Portez à ébullition en écumant la mousse. Ajoutez le thym et le laurier. Réduisez le feu, couvrez et laissez mijoter 30 min.

3 Ajoutez les lentilles, couvrez et poursuivez la cuisson 30 à 40 min. en remuant, jusqu'à ce que les lentilles soient juste tendres.

4 Ajoutez les dés de poulet en remuant, salez et poivrez. Laissez cuire juste assez pour réchauffer le poulet. Servez la soupe bien chaude dans des assiettes creuses.

Poulet aux vermicelles paré de rubans d'omelette

Un potage léger, très rapide à réaliser et fort savoureux.

INGRÉDIENTS

Pour 4 à 6 personnes

3 œufs de calibre 1

2 c. à soupe de coriandre ou de persil frais

1,5 litre/2 1/2 pintes de bon bouillon de poulet ou de consommé en boîte

115 g/4 oz de vermicelles ou de cheveux d'ange

115 g/4 oz de blanc de poulet cuit, découpé en lamelles

sel et poivre

1 Confection des rubans d'omelette : battez les œufs et ajoutez-y au fur et à mesure la coriandre ou le persil hachés.

2 Faites chauffer une petite poêle en teflon et versez-y 2 à 3 cuillerées à soupe d'œuf en répartissant bien sur toute la poêle de manière à former une galette. Répétez l'opération jusqu'à ce que toute la préparation soit cuite.

3 Roulez chaque « galette » d'œuf et découpez en fins rubans. Mettez en attente.

4 Portez le bouillon à ébullition, jetez-y les vermicelles en petits morceaux. Laissez cuire 3 à 5 min. Lorsque les pâtes sont presque tendres, ajoutez poulet, sel et poivre. Faites chauffer 2 à 3 min., ajoutez les rubans d'œuf sans cesser de remuer. Servez immédiatement.

Velouté aux petits oignons

Un délicieux potage à base de pomme de terre et de petits oignons.

INGRÉDIENTS

Pour 4 à 6 personnes

2 c. à soupe de beurre
1 oignon de petite taille, haché fin
150 g /5 oz de petits oignons (le bulbe seulement), émincés
225 g /8 oz de pommes de terre pelées et coupées en morceaux
600 ml /1 1/2 pinte de bouillon de poulet
350 ml /12 fl oz de crème liquide
sel et poivre blanc
2 c. à soupe de jus de citron
queues des petits oignons ou ciboulette hachées, en garniture

1 Faites fondre le beurre dans une casserole et ajoutez-y les oignons. Couvrez et laissez ramollir à tout petit feu une dizaine de minutes.

2 Ajoutez les pommes de terre et le bouillon. Portez à ébullition, recouvrez, et laissez mijoter à feu modéré 30 min. Laissez un peu refroidir.

3 Passez le mélange au mixer ou au robot.

4 Si la soupe est à servir tout de suite, remettez-la dans la casserole, ajoutez la crème, salez et poivrez. Réchauffez doucement en remuant souvent. Ajoutez le jus de citron et décorez avant de servir.

Soupe de courgettes aux petites pâtes

Une jolie soupe rafraîchissante : on peut aussi remplacer les courgettes par des concombres.

INGRÉDIENTS

Pour 4 à 6 personnes

4 c. à soupe d'huile d'olive ou de tournesol
2 oignons de taille moyenne, hachés fin
1,5 litre /$2^1/2$ pintes de bouillon de poulet
900 g /2 lb de courgettes
115 g /4 oz de petites pâtes à soupe
jus de citron frais
sel et poivre
2 c. à soupe de cerfeuil frais
crème aigre, en garniture

1 Faites chauffer l'huile dans une grande casserole, versez-y les oignons. Couvrez et laissez cuire à feu doux 20 min. en remuant fréquemment, jusqu'à attendrir les oignons sans les colorer.

2 Ajoutez le bouillon de poulet et portez à ébullition.

3 Pendant ce temps, râpez les courgettes et versez-les, ainsi que les pâtes, dans le mélange bouillant. Réduisez le feu et laissez mijoter 15 min. Assaisonnez à votre convenance avec du sel, du poivre et du jus de citron.

4 Ajoutez le cerfeuil tout en remuant et, avant de servir, dessinez une spirale de crème aigre à la surface du potage.

Potage de légumes campagnard

Variez les plaisirs en changeant de légumes selon la saison.

INGRÉDIENTS

Pour 4 personnes

4 c. à soupe de beurre
1 oignon haché fin
2 poireaux coupés en rondelles
2 branches de céleri coupées en rondelles
2 carottes coupées en rondelles
2 petits navets coupés fin
4 tomates bien mûres épluchées et coupées en petits morceaux
1 litre/1 3/4 pinte de bouillon de poulet
bouquet garni
115 g/4 oz de haricots verts coupés en petits morceaux
sel et poivre
fines herbes émincées (estragon, thym, ciboulette et persil) en garniture.

1 Faites fondre le beurre dans une grande sauteuse, ajoutez l'oignon et les poireaux et laissez cuire doucement pour attendrir les légumes sans les colorer.

2 Ajoutez le céleri, les carottes et les navets et faites cuire 3 à 4 min. en remuant. Incorporez les tomates et le bouillon tout en remuant, ajoutez le bouquet garni et laissez mijoter 20 min.

3 Mettez les haricots dans la soupe et laissez cuire jusqu'à ce que tous les légumes soient tendres. Salez, poivrez à volonté et servez avec les fines herbes en garniture.

Soupe au lard et aux pois cassés

Cette soupe s'appelait aussi « Spécialité de Londres », à cause des fameux brouillards qui enveloppaient jadis la ville et qu'on surnommait à leur tour « soupe de pois ».

INGRÉDIENTS

Pour 4 personnes

1 c. à soupe de beurre
115 g/4 oz d'échine fumée, coupée en petits morceaux
1 gros oignon haché fin
1 carotte coupée fin
1 branche de céleri coupée en fines lamelles
75 g/3 oz de pois cassés
1,2 litre/2 pintes de bouillon de poulet
2 épaisses tranches de pain bien ferme, beurré et sans croûte
2 tranches de lard maigre
sel et poivre

1 Faites fondre le beurre dans une casserole, faites revenir l'échine fumée jusqu'à ce que la graisse fonde. Ajoutez l'oignon, la carotte et le céleri et laissez cuire 2 à 3 min.

2 Versez les pois cassés, puis le bouillon et portez à ébullition en remuant de temps en temps, puis couvrez et laissez mijoter 50 à 60 min.

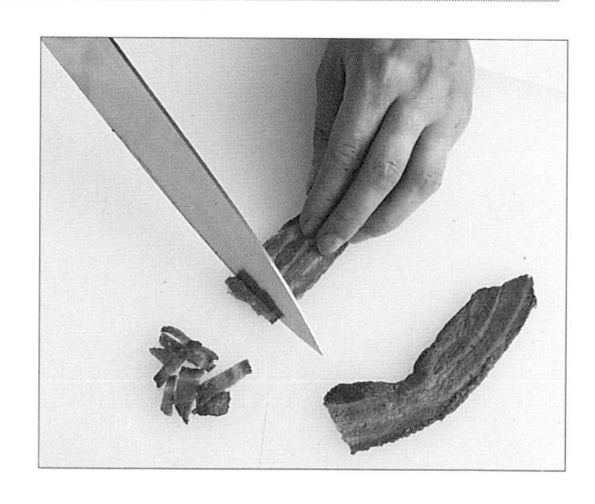

3 Pendant ce temps, préchauffez le four à 180°C/350°F/Th. 4 et enfournez-y le pain 10 min. jusqu'à ce qu'il soit doré et croustillant. Coupez-le en cubes.

4 Faites sauter le lard pour le rendre croustillant, puis coupez en petits morceaux.

5 La soupe prête, salez et poivrez, et servez chaud en garnissant chaque assiette de croûtons et d'échine grillée.

Potage « Mulligatawny »

Le « Mulligatawny » (qui signifie « eau de poivre ») fut introduit en Angleterre à la fin du XVIIIe siècle par les officiers de l'armée coloniale et les administrateurs de retour des Indes.

INGRÉDIENTS

Pour 4 personnes

4 c. à soupe de beurre ou 4 c. à soupe d'huile
2 gros morceaux de poulet d'environ 350 g/12 oz chaque
1 oignon haché fin
1 carotte coupée fin
1 petit navet coupé en fines lamelles
environ 1 c. à soupe de poudre de curry, selon votre goût
4 clous de girofle
6 grains de poivre noir, légèrement écrasés
50 g/2 oz de lentilles
900 ml/1 1/2 pinte de bouillon de poulet
40 g/1 1/2 oz de sultanines (raisins secs)
sel et poivre

1 Faites fondre le beurre ou chauffer l'huile dans une grande sauteuse et dorer le poulet à feu vif. Réservez le poulet sur un plat.

ASTUCE

Ce sont les lentilles oranges cassées qui donnent le meilleur résultat pour ce plat, mais les vertes ou les brunes conviennent aussi.

2 Mettez l'oignon, la carotte et le navet dans la sauteuse et faites dorer légèrement en remuant de temps en temps. Incorporez-y la poudre de curry, les clous de girofle et le poivre et laissez cuire 1 à 2 min. Ajoutez les lentilles.

3 Mouillez avec le bouillon et portez à ébullition. Ajoutez les sultanines et le poulet, avec le jus. Couvrez et laissez mijoter doucement environ 1 h 15.

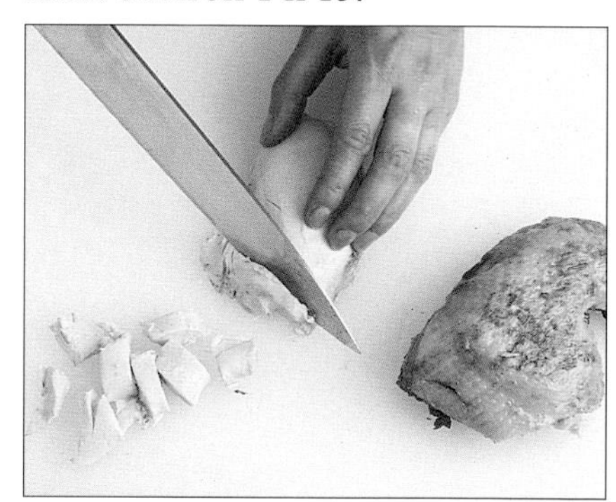

4 Sortez le poulet, enlevez la peau et désossez. Coupez la viande en petits morceaux qu'on remettra à réchauffer dans la soupe. Goûtez, rectifiez l'assaisonnement au besoin, et servez très chaud.

Soupe de poulet à la thaïlandaise

Cette soupe nourrissante et savoureuse est très rapide à préparer.

INGRÉDIENTS

Pour 4 personnes

1 c. à soupe d'huile végétale
1 gousse d'ail finement émincée
2 blancs de poulet d'environ 175 g/6 oz chaque
$^1/_2$ c. à café de curcuma en poudre
$^1/_4$ de c. à café de piment fort en poudre
75 g/3 oz de purée de noix de coco
900 ml/1 $^1/_2$ pinte de bouillon de poulet, chaud
2 c. à soupe de jus de citron
2 c. à soupe de beurre de cacahuète
50 g/2 oz de fines nouilles aux œufs, en petits morceaux
1 c. à soupe de petits oignons hachés fin
1 c. à soupe de coriandre fraîche hachée
sel et poivre noir
2 c. à soupe de noix de coco séchée et $^1/_2$ piment rouge frais, épépiné et finement ciselé, en garniture

1 Faites chauffer l'huile dans une grande casserole et faites-y légèrement dorer l'ail 1 min. Ajoutez le poulet coupé en petits morceaux et les épices et faites revenir 3 à 4 min.

2 Incorporez la purée de noix de coco dans le bouillon de poule chaud en prenant soin de briser d'éventuels morceaux, jusqu'à dissolution complète. Versez sur le poulet et ajoutez le jus de citron, le beurre de cacahuète et les nouilles aux œufs.

3 Couvrez la casserole et laissez mijoter un quart d'heure environ.

4 Ajoutez les petits oignons et la coriandre fraîche, vérifiez l'assaisonnement et laissez cuire encore 5 min. Pendant ce temps, faites revenir la noix de coco séchée et le piment 2 à 3 min., en remuant fréquemment.

5 Servez la soupe dans des bols en garnissant chacun avec la noix de coco et le piment sautés.

Soupe à la citrouille Nouvelle-Angleterre

Cette soupe est accommodée avec des épices, de la cassonade et du jus d'orange.

INGRÉDIENTS

Pour 4 personnes
2 c. à soupe de beurre
1 oignon haché fin
1 petite gousse d'ail écrasée
1 c. à soupe de farine
une pincée de noix de muscade râpée
$^1/_2$ c. à café de cannelle en poudre
350 g/12 oz de citrouille épépinée, pelée
600 ml/1 pinte de bouillon de poulet
150 ml/$^1/_4$ pinte de jus d'orange
1 c. à café de cassonade
1 c. à soupe d'huile végétale
2 tranches de pain de mie complet aux germes de blé, sans la croûte
2 c. à soupe de graines de tournesol
sel et poivre

1 Faites fondre le beurre dans une grande casserole, puis l'ail et l'oignon 4 à 5 min., jusqu'à ce qu'ils soient tendres. Remuez en ajoutant la farine, les épices, la citrouille coupée en cubes.

2 Couvrez et laissez cuire doucement 6 min. environ, en remuant de temps en temps.

3 Mouillez avec le bouillon de poule et le jus d'orange et ajoutez la cassonade. Couvrez et portez à ébullition, réduisez le feu et laissez mijoter 20 min., jusqu'à ce que la citrouille soit tendre.

4 Versez la moitié du mélange dans un mixer ou un robot et faites un liquide homogène. Remettez-le dans la casserole avec le reste du mélange à morceaux solides. Salez, poivrez et réchauffez en remuant.

5 Pour préparer les croûtons : faites chauffer l'huile dans une poêle, coupez le pain en cubes et faites-le dorer doucement. Ajoutez les graines de tournesol et faites revenir encore 2 à 3 min. Dégraissez les croûtons et les graines sur du papier absorbant.

6 Servez chaud, parsemé de croûtons et de graines. Présentez le reste séparément.

Velouté aux petits pois et à la menthe

Ce velouté est aussi délicieux froid. Au lieu de le réchauffer après l'avoir passé au mixer, laissez-le refroidir puis rafraîchir un moment au réfrigérateur. Terminez en décorant d'une spirale de crème avant de servir.

INGRÉDIENTS

Pour 4 personnes

4 c. à soupe de beurre
4 petits oignons
450 g/1 lb de petits pois frais ou congelés
600 ml/1 pinte de bouillon de poulet
2 branches de menthe
600 ml/1 pinte de lait
une pincée de sucre (facultatif)
sel et poivre
crème liquide, pour servir
petites feuilles de menthe, en garniture

1 Faites fondre le beurre dans une grande casserole, ajoutez les petits oignons et faites-les revenir doucement.

2 Versez les petits pois, mouillez avec le bouillon, ajoutez la menthe et portez à ébullition. Couvrez et laissez mijoter 30 min. pour des pois frais, 15 min. pour des congelés. Retirez à l'écumoire environ 3 c. à soupe de petits pois et réservez-les pour la garniture.

3 Versez la soupe dans un mixer ou un robot, ajoutez le lait et mixez jusqu'à obtenir un mélange homogène. Remettez dans la casserole et réchauffez à feu doux. Salez, poivrez, ajoutez une pincée de sucre.

4 Versez le velouté dans des assiettes individuelles. Ornez-le d'une spirale de crème, de petites feuilles de menthe et des petis pois réservés.

IDÉE CONGÉLATION

On peut congeler la soupe après le stade 2 de la recette. On la fera décongeler au réfrigérateur avant de la mouliner et de la réchauffer.

Velouté de carottes à la coriandre

Préparez un bon bouillon de poule maison pour cette recette qui se parera de saveurs bien plus subtiles qu'en partant d'un simple bouillon en cube.

INGRÉDIENTS

Pour 4 personnes

4 c. à soupe de beurre
3 poireaux coupés en rondelles
450 g/1 lb de carottes coupées en rondelles
1 c. à soupe de coriandre en poudre
1,2 litre/2 pintes de bouillon de poulet
150 ml/1/4 pinte de yaourt à la grecque
sel et poivre noir
2 à 3 c. à soupe de coriandre fraîche, hachée, en garniture

1 Faites fondre le beurre dans une grande sauteuse, mettez-y les poireaux et les carottes et remuez vivement. Couvrez et laissez cuire 10 min. environ, pour ramollir les légumes sans les colorer.

2 Tout en remuant, ajoutez la coriandre en poudre et laissez cuire 1 min. environ. Mouillez avec le bouillon, salez et poivrez. Portez à ébullition, couvrez et laissez s'attendrir les poireaux et les carottes 20 min. environ.

3 Après avoir un peu laissé refroidir, passez la soupe au mixer en un mélange homogène. Remettez-la dans la sauteuse et ajoutez 2 c. à soupe de yaourt. Goûtez et rectifiez l'assaisonnement au besoin. Réchauffez doucement, sans bouillir.

4 Versez la soupe dans des assiettes et décorez d'une cuillerée de yaourt au centre et de coriandre. Servez immédiatement.

Soupe aux poireaux, aux pommes de terre et à la roquette

La roquette, avec son goût inimitable et sa note poivrée, rend merveilleusement bien dans cette soupe roborative, servie chaude avec des croûtons à l'ail.

INGRÉDIENTS

Pour 4 à 6 personnes

4 c. à soupe de beurre
1 oignon haché fin
3 poireaux coupés en fines lamelles
2 pommes de terre coupées en dés
900 ml/1 1/2 pinte de bouillon de poulet dégraissé
2 grosses poignées de roquette, grossièrement coupée
150 ml/1/4 pinte de crème fraîche
sel et poivre
croûtons à l'ail, pour servir

1 Faites fondre le beurre dans une grande sauteuse à fond épais, mettez-y l'oignon, les poireaux et les pommes de terre et remuez vivement.

2 Couvrez et laissez « transpirer » les légumes à l'étouffée 15 min. environ. Mouillez avec le bouillon, couvrez et laissez mijoter 20 min. environ.

3 Passez la soupe au tamis ou dans un moulin à légumes manuel et remettez-la dans la sauteuse préalablement lavée. (Évitez le mixer ou un multirobot qui rendraient la soupe collante.) Ajoutez la roquette en morceaux et cuisez 5 min. à feu doux.

4 Versez la crème tout en remuant, salez, poivrez puis réchauffez doucement. Servez la soupe dans des assiettes préchauffées, ajoutez des croûtons à l'ail.

Soupe aux pois cassés et aux courgettes

Une soupe riche et reconstituante, savoureuse et nourrissante, pour vous réchauffer, un jour de froidure.

INGRÉDIENTS

Pour 4 personnes

175 g/6 oz de pois cassés jaunes

1 oignon de taille moyenne, haché fin

1 c. à café d'huile de tournesol

2 courgettes de taille moyenne, coupées en petits dés

900 ml/1 1/2 pinte de bouillon de poulet

1/2 c. à café de curcuma

sel et poivre noir

1 Dans un saladier, laissez tremper les pois cassés dans l'eau froide plusieurs heures ou une nuit. Videz l'eau, rincez à grande eau et égouttez.

2 Faites revenir l'oignon dans l'huile dans une sauteuse couverte secouée régulièrement.

3 Réservez une poignée de courgettes. Mettez le reste dans la sauteuse. Cuisez 2 à 3 min. en remuant. Mouillez avec le bouillon, ajoutez le curcuma, portez à ébullition. Réduisez le feu, couvrez, laissez mijoter 30 à 40 min.

4 Lorsque la soupe est presque prête, faites bouillir une casserole d'eau, mettez-y les courgettes réservées, pochez-les 1 min., égouttez-les et ajoutez-les à la soupe. Salez, poivrez.

ASTUCE

Variante plus rapide : remplacez les pois cassés par des lentilles cassées orange qui n'ont pas besoin de tremper et cuisent très vite. Modifiez la quantité de bouillon, au besoin.

Velouté de poivrons rouges au citron vert

Avec son beau rouge vif, ce velouté fait une jolie entrée ou un plat léger pour le déjeuner. Si l'on veut soigner la présentation pour un dîner, on le servira coiffé de petits croûtons grillés.

INGRÉDIENTS

Pour 4 à 6 personnes

4 poivrons rouges, épépinés et coupés en petits morceaux
1 gros oignon haché fin
1 c. à café d'huile d'olive
1 gousse d'ail écrasée
1 petit piment rouge, coupé en fines lamelles
3 c. à soupe de purée de tomate
900 ml/1 1/2 pinte de bouillon de poulet
écorce râpée fin et jus d'un citron vert
sel et poivre noir
zeste de citron vert, pour garnir

1 Faites revenir les poivrons et l'oignon 5 min. à feu doux dans une casserole couverte, qu'on secouera de temps en temps.

2 Tout en remuant, ajoutez l'ail, puis le piment et la purée de tomate. Versez la moitié du bouillon, puis portez à ébullition. Couvrez la casserole et laissez mijoter 10 min.

3 Laissez légèrement refroidir, puis réduisez en purée au mixer ou au robot. Versez dans la casserole, ajoutez le reste du bouillon, l'écorce et le jus de citron vert, et assaisonnez.

4 Ramenez la soupe à ébullition puis servez aussitôt en décorant chaque assiette avec du zeste de citron vert en lamelles.

Velouté aux rutabagas

Relevée d'une petite crème au safran, voilà une soupe merveilleuse pour un jour d'hiver.

INGRÉDIENTS

Pour 4 personnes

4 c. à soupe de beurre
1 oignon haché fin
450 g/1 lb de rutabagas, pelés et coupés en gros morceaux
900 ml/1 1/2 pinte de bouillon de poulet
150 ml/1/4 pinte de lait
150 ml/1/4 pinte de crème fraîche
une bonne pincée de safran en poudre
sel et poivre noir
ciboulette hachée, pour servir

1 Faites fondre le beurre dans une grande casserole à fond épais et ramollir sans le brunir l'oignon 5 à 8 min., en remuant de temps en temps.

2 Mettez les rutabagas dans la casserole en remuant pour bien les enduire de beurre. Couvrez et laissez cuire à feu doux 10 à 15 min., sans laisser brunir les rutabagas. Versez le bouillon et le lait, couvrez et laissez mijoter 15 min. Laissez un peu refroidir et passez au mixer ou au robot jusqu'à obtention d'une crème lisse.

3 Reversez la soupe dans la casserole en la filtrant. Ajoutez la moitié de la crème, assaisonnez et réchauffez doucement. Battez légèrement le reste de la crème avec le safran en poudre. Servez dans des bols préchauffés et décorez d'une cuillerée de crème au safran au milieu de chaque bol. Parsemez de ciboulette et servez immédiatement.

Velouté aux brocolis et au stilton

Ce velouté onctueux et facile à préparer peut être suivi d'un plat simple : une viande, une volaille ou du poisson, rôtis ou grillés.

INGRÉDIENTS

Pour 4 personnes

350 g/12 oz de brocolis
2 c. à soupe de beurre
1 oignon haché fin
1 blanc de poireau coupé en fines lamelles
1 petite pomme de terre, en morceaux
600 ml/1 pinte de bouillon de poulet, chaud
300 ml/1/2 pinte de lait
3 c. à soupe de crème fraîche
115g/4 oz de Stilton (bleu anglais), sans coûte et brisé en petits morceaux
sel et poivre noir

1 Prenez les fleurettes des brocolis et jetez les tiges dures. Réservez deux jolies petites fleurettes pour garnir.

2 Faites fondre le beurre dans une grande casserole et revenir l'oignon et le poireau. Ajoutez les brocolis et la pomme de terre, puis versez le bouillon. Couvrez et laissez mijoter 15 à 20 min.

3 Après avoir laissé un peu refroidir, passez la soupe au mixer ou au robot. Reversez dans la casserole en filtrant avec une passoire.

4 Ajoutez le lait, la crème, le sel et le poivre, et faites réchauffer à feu doux. Mettez le Stilton à la dernière minute, en remuant jusqu'à ce qu'il ait totalement fondu. Ne laissez pas bouillir.

5 Pendant ce temps, faites blanchir les fleurettes réservées et coupez-les en fines lamelles, dans le sens de la longueur. Servez la soupe dans des bols préchauffés et garnissez avec le broccoli et du poivre noir fraîchement moulu.

Velouté marbré, à la betterave et à l'abricot

Ce velouté sera du plus bel effet si vous le servez en réalisant un marbré avec le rouge et le jaune des ingrédients.

INGRÉDIENTS

Pour 4 personnes

4 grosses betteraves cuites, coupées en gros morceaux
1 petit oignon, coupé gros
600 ml/1 pinte de bouillon de poulet
200 g/7 oz d'abricots secs, prêts à consommer
250 ml/8 fl oz de jus d'orange
sel et poivre noir

1 Mettez les betteraves et la moitié de l'oignon dans une casserole avec le bouillon. Portez à ébullition, puis réduisez le feu, couvrez et laissez mijoter environ 10 min. Réduisez en purée au mixer ou au robot.

2 Mettez le reste de l'oignon dans une casserole avec les abricots et le jus d'orange, couvrez et laissez mijoter à feu doux 15 min. environ. Réduisez en purée au mixer ou au robot.

3 Reversez chaque mélange dans sa casserole respective et réchauffez. Assaisonnez, puis servez les veloutés dans les assiettes en mêlant les couleurs de façon à produire un effet marbré.

ASTUCE

Veillez à ce que le mélange à base d'abricot ait la même consistance que celui de betterave. Vous pouvez au besoin le diluer un peu au jus d'orange.

Soupe épicée au maïs

Voilà une soupe facile à faire, prête en quelques minutes. Si vous prenez des crevettes surgelées, faites-les décongeler avant de servir.

INGRÉDIENTS

Pour 4 personnes

$^1/_2$ c. à café d'huile de sésame ou de tournesol
2 petits oignons coupés en fines lamelles
1 gousse d'ail écrasée
600 ml/1 pinte de bouillon de poulet
425 g/15 oz de maïs en purée, en boîte
225 g/8 oz de crevettes cuites décortiquées
1 c. à café de purée de piment vert ou de sauce au piment (facultatif)
sel et poivre noir
feuilles de coriandre fraîche, pour garnir

1 Chauffez l'huile dans une grande sauteuse à fond épais et faites revenir les petits oignons et l'ail à feu moyen 1 min.

2 Tout en remuant, versez le bouillon de poulet, le maïs en purée, les crevettes et éventuellement la purée de piment (ou la sauce au piment).

3 Portez la soupe à ébullition en remuant de temps en temps. Assaisonnez, servez immédiatement et parsemez de feuilles de coriandre fraîche.

ASTUCE

À défaut de maïs en purée, prenez une boîte de maïs en grains et passez-la au mixer quelques secondes, juste le temps de faire une purée avec encore des morceaux dedans.

« Goujons » de poulet

Servez comme entrée pour 8 ou en plat principal pour 4. Délicieux accompagné de petites pommes de terre nouvelles et d'une salade verte.

INGRÉDIENTS

Pour 8 personnes

4 blancs de poulet désossés et pelés
175 g/6 oz de chapelure à base de pain frais
1 c. à café de coriandre fraîche hachée
2 c. à café de paprika en poudre
1/2 c. à café de cumin en poudre
3 c. à soupe de farine
2 œufs battus
huile à friture
sel et poivre noir
tranches de citron, pour garnir
brins de coriandre fraîche, pour garnir

Pour la crème

300 ml/1/2 pinte de yaourt à la grecque
2 c. à soupe de jus de citron
4 c. à soupe de coriandre fraîche hachée
60 ml/4 c. à soupe de persil frais haché

1 Dédoublez les blancs en filets. Placez-les entre deux feuilles de film transparent et aplatissez-les au rouleau à pâtisserie pour leur donner une épaisseur de 1 cm/1/2 po.

2 Coupez les filets (les « goujons ») en diagonale, en lanières de 2,5 cm/1 po.

3 Mélangez la chapelure, les épices, le sel et le poivre. Roulez les « goujons » dans la farine. Réservez chaque morceau séparément.

4 Trempez les « goujons » dans l'œuf battu et roulez-les dans la chapelure assaisonnée.

5 Mélangez tous les ingrédients de la crème, salez et poivrez. Couvrez et mettez à rafraîchir jusqu'au moment de servir.

6 Chauffez l'huile dans une casserole à fond épais. Pour vérifier qu'elle est prête pour la friture, jetez un morceau de pain qui doit grésiller. Faites frire les « goujons » par tournées, jusqu'à ce qu'ils soient bien dorés et croustillants. Égouttez sur du papier absorbant et gardez chaud au four jusqu'à ce que tout le poulet soit frit. Garnissez de rondelles de citron et de brins de coriandre fraîche. Servez avec la crème au yaourt.

Salade de poulet de grain

Entrée légère pour 8 ou plat de résistance pour 4.

INGRÉDIENTS

Pour 8 personnes

1 poulet de 1,750 kg/4 lb, élevé au grain
300 ml/1/2 pinte de vin blanc et d'eau, mélangés
24 tranches de baguette de 5 mm/1/4 po d'épaisseur
1 gousse d'ail écrasée
225 g/8 oz de haricots verts épluchés, en morceaux de 5 cm/2 po de long
115 g/4 oz de jeunes feuilles d'épinards lavées et déchirées en petits morceaux
2 branches de céleri
2 tomates séchées au soleil, coupées fin
2 petits oignons, coupés en fines lamelles
ciboulette et persil frais, pour garnir

Pour la vinaigrette

2 c. à soupe de vinaigre de vin rouge
6 c. à soupe d'huile d'olive
1 c. à soupe de moutarde (avec les grains)
1 c. à soupe de miel liquide
2 c. à soupe de fines herbes fraiches
2 c. à café de câpres coupées fin
sel et poivre noir

1 Préchauffez le four à 190°C/375°F/Th. 5. Mettez le poulet, le vin et l'eau dans une cocotte. Cuisez 1 h 30, le poulet. Laissez refroidir l'ensemble. Désossez, enlevez la peau et coupez la chair en petits morceaux.

2 Mettez tous les ingrédients de la vinaigrette dans un bocal à couvercle qui ferme bien et secouez énergiquement. Rectifiez l'assaisonnement au besoin.

3 Faites griller les tranches de baguette. Frottez à l'ail.

4 Cuisez les haricots verts à l'eau bouillante, le temps qu'ils soient juste tendres. Égouttez et rincez à l'eau froide.

5 Garnissez les assiettes de feuilles d'épinard, de céleri, de haricots verts, de tomates séchées au soleil et de petits oignons. Arrosez de vinaigrette, posez les croûtons dessus, garnissez de ciboulette et de persil.

Pâté de foies de poulet

Un pâté délicieusement onctueux, idéal en canapé sur des toasts.

INGRÉDIENTS

Pour 6 personnes ou plus

4 c. à soupe de beurre
1 oignon haché fin
350 g/12 oz de foies de poulet, ôtez bien les parties vertes ou foncées
4 c. à soupe de sherry rouge
25 g/1 oz de fromage frais au lait entier
1 à 2 c. à soupe de jus de citron
2 œufs durs en petits morceaux
sel et poivre
50 à 75 g/2 à 3 oz de beurre clarifié

1 Faites fondre le beurre dans une poêle. Jetez-y l'oignon et les foies et faites-les revenir jusqu'à ce que l'oignon soit tendre et les foies légèrement bruns à cœur.

2 Mouillez avec le sherry et faites bouillir jusqu'à réduction de moitié. Laissez légèrement refroidir.

ASTUCE

À l'occasion d'un dîner de fête, remplacez le sherry par du cognac.

3 Passez le mélange au robot ou au mixeur, ajoutez le fromage frais et une cuillerée à soupe de jus de citron, et refaites-le tourner jusqu'à obtention d'un mélange homogène.

4 Ajoutez les œufs durs, redonnez un bref coup de mixeur. Salez, poivrez. Goûtez et rajoutez du jus de citron au besoin.

5 Disposez le pâté dans un moule ou dans des ramequins individuels, lissez la surface.

6 Versez une fine couche de beurre clarifié sur la surface du pâté. Rafraîchissez jusqu'à ce qu'il soit bien ferme. Servez à température ambiante, avec des toasts ou des biscuits salés.

Poulet et avocat mayonnaise

Avec cette entrée, il faut prévoir des chips mexicaines en guise de cuillères, ou bien des fourchettes.

INGRÉDIENTS

Pour 4 personnes

2 c. à soupe de mayonnaise
1 c. à soupe de fromage frais
2 gousses d'ail écrasées
115 g/4 oz de poulet cuit, coupé en petits morceaux
1 gros avocat mûr mais ferme, pelé et dénoyauté
2 c. à soupe de jus de citron
sel et poivre
chips mexicaines nachos ou tortillas, pour servir

1 Dans un bol mélangez la mayonnaise, le fromage blanc, l'ail, le sel et le poivre. Incorporez-y le poulet en tournant soigneusement.

2 Coupez l'avocat en morceaux et arrosez-le aussitôt de jus de citron. Il ne noircira pas.

3 Incorporez doucement l'avocat au mélange de poulet. Rajoutez du sel et du poivre si besoin est. Réservez au frais.

4 Servez sur des petites assiettes avec, si on le désire, des chips mexicaines (nachos ou tortillas) en guise de cuillères.

ASTUCE

Ce mélange peut également faire une excellente garniture pour des sandwiches, des pains pitta grecs, des galettes de pommes de terre ou autres. On peut aussi le servir en salade comme plat principal, en le disposant sur un lit de salade composée.

Croquettes de poulet aux pistaches et aux amandes

Servez-les en entrée avec une sauce au citron, ou bien faites-les plus petites et présentez-les sur des sticks pour l'apéritif.

INGRÉDIENTS

Pour 4 personnes

350 g/12 oz de poulet
50 g/2 oz de pistaches finement pilées
1 c. à soupe de jus de citron
2 œufs battus
farine pour les croquettes
75 g/3 oz d'amandes blanchies, finement pilées
75 g/3 oz de chapelure
sel et poivre noir

Pour la sauce au citron

150 ml/$^{1}/_{4}$ pinte de bouillon de poule
225 g/8 oz de fromage blanc
1 c. à soupe de jus de citron
1 c. à soupe de persil frais haché
1 c. à soupe de ciboulette hachée

1 Pelez le poulet, hachez-le ou coupez-le finement. Ajoutez du sel, du poivre noir fraîchement moulu, les pistaches, le jus de citron, 1 œuf battu.

2 À l'aide de la farine, formez 16 petites boules à la main (mesurez la quantité à la cuillère pour obtenir des boulettes de taille assez régulière). Roulez les boulettes dans le deuxième œuf battu, puis dans les amandes et dans la chapelure, en pressant bien. Laissez à rafraîchir pendant que le four chauffe.

3 Préchauffez le four à 190°C/375°F/Th. 5. Disposez les boulettes sur une tôle graissée et cuisez 15 min. environ ou jusqu'à ce que les boulettes soient dorées et croustillantes.

4 Pour faire la sauce au citron, mettez le bouillon de poule et le fromage blanc à chauffer doucement dans une casserole en battant le mélange pour le rendre homogène. Ajoutez le jus de citron, les herbes, le sel et le poivre. Servez avec les croquettes.

Foies de poulet aux cinq épices

On peut acheter des foies de poulet surgelés mais il faut prendre soin de bien les décongeler avant usage. Servez en entrée ou en plat léger, accompagné d'une salade composée et de baguette fourrée au beurre d'escargots.

INGRÉDIENTS

Pour 4 personnes

350 g/12 oz de foies de poulet

115 g/4 oz de farine

1/2 c. à café de coriandre en poudre

1/2 c. à café de cumin en poudre

1/2 c. à café de cardamome en poudre

1/2 c. à café de paprika en poudre

1/2 c. à café de noix de muscade râpée

6 c. à soupe d'huile d'olive

sel et poivre noir

1 Séchez les foies de poulet avec du papier absorbant, en enlevant les parties non mangeables. Coupez les plus gros foies en deux, laissez les petits entiers.

2 Mélangez à la farine les épices, le sel et le poivre.

3 Roulez-y quelques foies, en les gardant bien séparés. Faites chauffer l'huile dans une grande poêle, faites-y frire les foies par tournées successives (l'huile reste très chaude et la farine ne ramollit pas).

4 Faites frire les foies rapidement en les retournant souvent. Réservez au chaud et répétez l'opération avec le reste des foies. Servez immédiatement avec du pain chaud au beurre d'escargots et une salade.

Soupe à la tomate méditerranéenne

Les enfants vont adorer cette soupe, surtout si vous choisissez des pâtes amusantes : lettres de l'alphabet ou animaux.

INGRÉDIENTS

Pour 4 personnes

675 g/1 1/2 lb de tomates Roma bien mûres
1 oignon de taille moyenne, coupé en quatre
1 branche de céleri
1 gousse d'ail
1 c. à soupe d'huile d'olive
475 ml/16 fl oz de bouillon de poule
1 c. à soupe de purée de tomate
50 g/2 oz de petites pâtes pour la soupe
sel et poivre noir
coriandre ou persil frais, pour garnir

1 Mettez les tomates, l'oignon, le céleri et l'ail dans une casserole avec l'huile. Couvrez et cuisez à cœur à feu doux 40 à 45 min., en secouant la casserole de temps en temps.

2 Transférez les légumes dans le bol d'un robot ou d'un mixer et faites tourner jusqu'à obtention d'un mélange homogène. Passez ce mélange dans la casserole.

3 Mouillez avec le bouillon, ajoutez la purée de tomate et portez à ébullition. Mettez les pâtes et laissez mijoter doucement 8 min. Salez, poivrez. Vérifiez l'assaisonement avant de parsemer de coriandre ou de persil et de servir chaud.

Potage aux champignons, au céleri et à l'ail

L'addition de sauce Worcester exalte le goût de cette soupe aux champignons.

INGRÉDIENTS

Pour 4 personnes

350 g/12 oz de champignons émincés
4 branches de céleri coupées en lamelles
3 gousses d'ail
3 c. à soupe de dry sherry ou de vin blanc
750 ml/1 1/4 pinte de bouillon de poulet
2 c. à soupe de sauce Worcester
1 c. à café de noix de muscade râpée
sel et poivre noir
feuilles de céleri, pour garnir

1 Mettez les champignons, le céleri et l'ail dans une casserole et versez le sherry ou le vin. Couvrez et cuisez à cœur à feu doux 30 à 40 min.

2 Mouillez avec la moitié du bouillon et faites passer le mélange au robot ou au mixer pour obtenir une texture homogène. Reversez dans la casserole, ajoutez le reste du bouillon, la sauce Worcester et la noix de muscade.

3 Portez à ébullition, salez, poivrez et servez chaud, avec des feuilles de céleri en garniture.

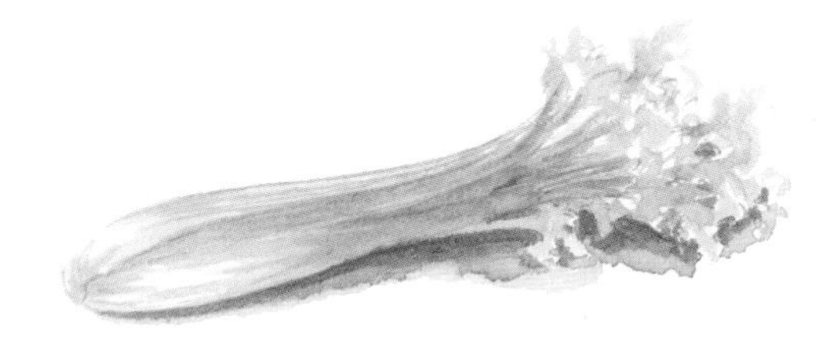

Pâté de foies de poulet au marsala

Très facile et rapide à faire, ce délicieux pâté est d'un goût recherché, grâce au Marsala, un vin liquoreux de Sicile, à la fois doux et piquant. À défaut, on peut y substituer du cognac ou un sherry medium-dry.

INGRÉDIENTS

Pour 4 personnes

350 g/12 oz de foies de poulet (bien décongelés si surgelés)
225 g/8 oz de beurre ramolli
2 gousses d'ail écrasées
1 c. à soupe de Marsala
1 c. à café de sauge fraîche hachée
sel et poivre
8 feuilles de sauge, pour garnir
pain grillé, pour servir

1 Préparez les foies en enlevant les parties foncées ou vertes, rincez et séchez avec du papier absorbant. Faites fondre 2 c. à soupe de beurre dans une poêle et revenir les foies avec l'ail à feu moyen 5 min. (ils doivent être fermes mais roses au milieu).

2 Mettez les foies dans un robot ou un mixer à l'aide d'une cuillère-écumoire, ajoutez le Marsala et la sauge hachée.

3 Faites fondre 10 c. à soupe de beurre dans la poêle en remuant bien, ajoutez au mélange qui attend dans le robot ou le mixer et préparez un mélange homogène. Salez, poivrez.

4 Mettez le pâté dans quatre ramcquins individuels, lissez la surface. Faites fondre le reste du beurre dans une petite casserole et versez-le sur les pâtés. Garnissez de feuilles de sauge. Mettez au frais. Servez avec des triangles de pain grillé.

Soupe au poulet fumé et aux lentilles

Le poulet fumé donne une saveur inattendue à cette soupe roborative.

INGRÉDIENTS

Pour 4 personnes

2 c. à soupe de beurre
1 grande carotte, coupée en petits morceaux
1 oignon haché
1 branche de céleri coupée en rondelles
1 blanc de poireau coupé en lamelles
115 g/4 oz de champignons coupés en lamelles
50 ml/2 fl oz de vin blanc
1 litre/1 3/4 pinte de bouillon de poulet
2 c. à café de thym séché
1 feuille de laurier
120 ml/4 fl oz de lentilles
225 g/8 oz de poulet fumé, coupé en dés
sel et poivre
persil frais ciselé, en garniture

1 Faites fondre le beurre dans une grande casserole. Ajoutez la carotte, l'oignon, le céleri, le poireau et les champignons. Faites dorer doucement 3 à 5 min.

2 Mouillez avec le vin et le bouillon de poulet. Portez à ébullition. Ôtez l'écume. Ajoutez le thym et le laurier. Réduisez le feu, couvrez, laissez mijoter 30 min.

3 Versez les lentilles, couvrez, poursuivez la cuisson de 30 à 40 min., jusqu'à ce qu'elles soient juste tendres. Remuez de temps en temps.

4 Incorporez le poulet, salez et poivrez. Continuez à cuire jusqu'à ce que le poulet soit bien réchauffé. Servez dans des assiettes et garnissez avec le persil ciselé.

Cigares au poulet

Ces petits rouleaux croustillants peuvent se servir chauds en guise de canapés pour l'apéritif ou en entrée, accompagnés d'une salade.

INGRÉDIENTS

Pour 4 personnes

275 g/10 oz de pâte à brick
3 c. à soupe d'huile d'olive
persil frais, en garniture

Pour la farce

350 g/12 oz de poulet cru haché
sel et poivre noir fraîchement moulu
1 œuf battu
1/2 c. à café de cannelle en poudre
1/2 c. à café de gingembre en poudre
2 c. à soupe de raisins secs
1 c. à soupe d'huile d'olive
1 oignon de petite taille, émincé

1 Mélangez dans un bol tous les ingrédients de la farce, sauf l'huile et l'oignon. Chauffez l'huile dans une grande poêle et cuisez l'oignon jusqu'à ce qu'il soit tendre. Laissez refroidir. Ajoutez le mélange d'ingrédients de la farce.

2 Préchauffez le four à 180°C/350°F/Th 4. Une fois ouvert le paquet de pâte à brick, gardez la pâte couverte avec un torchon humide. Travaillez rapidement car cette pâte se dessèche très vite une fois exposée à l'air. Dépliez la pâte et coupez-la en bandes de 25 cm x 10 cm/10 x 4 po.

3 Ayant couvert le reste de la pâte, prenez une bande, huilez-la au pinceau et placez-y une petite cuillerée de farce à environ 1 cm/1/2 po de l'extrémité de la bande.

4 Repliez les côtés de la bande de façon à obtenir une largeur de 5 cm/2 po et roulez-la avec la farce pour former un cigare. Placez sur une tôle graissée et appliquez de l'huile au pinceau sur chaque cigare. Répétez l'opération jusqu'à épuisement de la farce. Cuisez 20 à 25 min., jusqu'à ce que les cigares soient dorés et croustillants. Garnissez avec le persil frais et servez.

Paupiettes de poulet

Ces paupiettes font un déjeuner léger pour deux ou une entrée pour quatre. On peut aussi les couper en tranches et les servir froides, avec une salade.

INGRÉDIENTS

Pour 4 personnes

4 hauts de cuisse de poulet, désossés et pelés
115 g/4 oz d'épinards hachés, frais ou surgelés
1 c. à soupe de beurre
2 c. à soupe de pignons
une pincée de noix de muscade râpée
7 c. à soupe de chapelure de pain blanc
4 tranches de lard maigre découenné
2 c. à soupe d'huile d'olive
150 ml/¹/4 pinte de vin blanc ou de bouillon de poulet
2 c. à café de Maïzena
2 c. à soupe de crème fraîche liquide
1 c. à soupe de ciboulette fraîche hachée
sel et poivre noir

1 Préchauffez le four à 180°C/350°F/Th. 5. Posez les hauts de cuisse entre deux feuilles de film plastique. Aplatissez-les au rouleau à pâtisserie.

2 Chauffez doucement les épinards et le beurre dans une casserole, jusqu'à ce que les épinards soient décongelés, puis passez à feu vif et cuisez rapidement en remuant de temps en temps jusqu'à évaporation complète de l'eau. Ajoutez les pignons, le sel et le poivre, la noix de muscade et la chapelure fraîche.

3 Répartissez la farce entre les morceaux de poulet, formez des rouleaux bien nets, bardez chacun d'une tranche de lard que vous attacherez avec de la ficelle.

4 Chauffez l'huile dans une grande poêle et faites dorer les rouleaux de tous les côtés. Sortez-les avec une cuillère-écumoire et mettez-les dans un plat creux allant au four.

5 Versez le vin ou le bouillon sur les paupiettes et cuisez à cœur 15 à 20 min. Dressez les paupiettes sur un plat de service et enlevez la ficelle. Versez le liquide de cuisson dans une casserole.

6 Délayez la Maïzena avec un peu d'eau froide, ajoutez-la au liquide de cuisson dans la casserole, ainsi que la crème. Portez à ébullition, remuez. Salez et poivrez si nécessaire, mettez la ciboulette. Arrosez les paupiettes de sauce et servez.

Terrine de poulet au porc fumé et au noix

Du saindoux fondu versé dessus conserve bien cette terrine.

INGRÉDIENTS

Pour 8 à 10 personnes

2 blancs de poulet, désossés

1 grosse gousse d'ail écrasée

1/2 tranche de pain

1 œuf

350 g/12 oz de poitrine de porc grasse, crue et fumée

225 g/8 oz de foies de poulet ou de dinde, émincés

25 g/1 oz de noix pilées et grillées

2 c. à s. de sherry doux ou de madère

1/2 c. à café de quatre-épices en poudre

1/2 c. à café de poivre de Cayenne

noix de muscade râpée, clous de girofle

8 longues tranches de lard maigre découenné

sel et poivre noir

feuilles d'endive et ciboulette, pour garnir

1 Coupez les blancs en fines tranches, salez et poivrez légèrement. Mélangez l'ail, le pain et l'œuf. Incorporez-y le porc haché ou en lamelles, puis les foies en tout petits morceaux. Ajoutez les noix, le sherry ou le madère, les épices, le sel et le poivre. Selon votre goût, mettez deux ou trois clous de girofle.

2 Préchauffez le four à 200°C/400°F/Th. 6. Étirez les tranches de lard au maximum à la spatule, tapissez-en un moule à cake de 675 g/1 1/2 lb dans lequel viendra la moitié de la farce.

3 Étalez les tranches de blanc sur la farce, puis recouvrez-les du reste de farce. Couvrez le moule avec du papier d'aluminium légèrement graissé, fermez soigneusement et appuyez fort sur le dessus de la terrine pour bien la tasser.

4 Placez la terrine dans un plat creux allant au four et à demi rempli d'eau chaude, et cuisez 1 h à 1 h 30. Sortez du four, posez des poids sur la terrine et laissez-la refroidir complètement. Enlevez tout excédent de graisse ou de liquide pendant que la terrine est encore chaude.

5 Après refroidissement complet, démoulez la terrine, découpez en tranches épaisses et servez immédiatement avec quelques feuilles d'endives et des brins de ciboulette.

Petits rouleaux de printemps

Utilisez un wok ou une grande poêle. Ces rouleaux sont délicieux, trempés dans de la sauce sojà.

INGRÉDIENTS

Pour 20 rouleaux

1 piment vert
120 ml/4 fl oz d'huile végétale
1 oignon de petite taille, haché fin
1 gousse d'ail, écrasée
75 g/3 oz de blanc de poulet cuit
1 petite carotte découpée en fines lanières
1 petit oignon coupé en fines lamelles
1 petit poivron rouge, épépiné et coupé en fines lanières
25 g/1 oz de pousses de soja
1 c. à soupe d'huile de sésame
4 grandes feuilles de pâte à brick
blanc d'œuf, légèrement battu
brins de ciboulette pour décorer
3 c. à soupe de sauce soja, pour servir

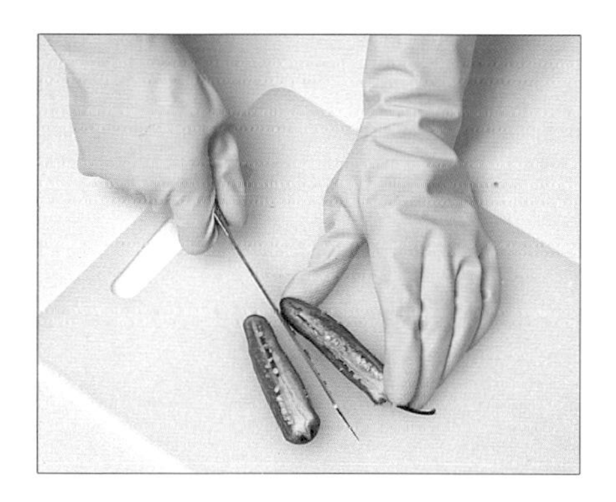

1 Épépinez soigneusement le piment et coupez-le en petits morceaux (mettez des gants de caoutchouc au besoin).

2 Chauffez le wok, versez 2 c. à soupe d'huile végétale. Quand l'huile est bien chaude, faites-y revenir l'oignon, l'ail et le piment 1 min. en remuant constamment.

3 Coupez le poulet en lamelles, jetez-le dans le wok et faites-le dorer à grand feu, en remuant constamment.

4 Ajoutez la carotte, le petit oignon et le poivron rouge, et faites revenir en remuant 2 min. Ajoutez les pousses de soja, l'huile de sésame, retirez le wok du feu et laissez refroidir.

ASTUCE

Couvrez toujours d'un torchon propre et humide les feuilles de brick en attente, pour les empêcher de sécher.

5 Coupez chaque feuille de brick en 5 bandes étroites. Mettez un peu de farce au bout de chaque bande, repliez la pâte (le grand côté du rectangle) latéralement, puis roulez-la avec la farce. Fermez et enduisez de blanc d'œuf. Mettez-les à rafraîchir 15 min., sans couvrir, avant de les faire frire.

6 Nettoyez le wok avec du papier absorbant, chauffez-le et versez-y le reste de l'huile. Dans l'huile chaude, faites dorer les rouleaux par fournées successives. Egouttez sur du papier absorbant. Servez avec de la sauce de soja.

Bouchées de poulet au sésame

Faites revenir ces bouchées dans un wok et servez-les chaudes avec un verre de vin blanc bien frappé.

INGRÉDIENTS

Pour 20 bouchées

175 g/6 oz de blanc de poulet cru
2 gousses d'ail écrasées
un morceau de gingembre frais de 2,5 cm/1 po, pelé et râpé
4 œufs de calibre 1
1 c. à café de Maïzena
25 g/1 oz de pistaches épluchées et grossièrement pilées
4 c. à soupe de graines de sésame
2 c. à soupe d'huile de pépins de raisin
sel et poivre noir

Pour la sauce

3 c. à soupe de sauce hoisin
1 c. à soupe de sauce au piment doux

Pour la garniture

gingembre frais, en fines lanières
pistaches pilées grossièrement
brins d'aneth

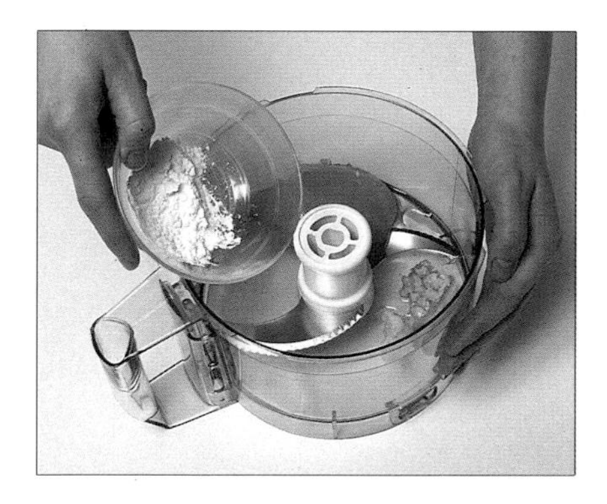

1 Passez le poulet, l'ail, le gingembre râpé, le blanc d'œuf et la Maïzena dans un robot ou au mixer jusqu'à obtention d'un mélange homogène.

2 Ajoutez les pistaches, du sel et du poivre.

3 Formez 20 boulettes et enrobez-les de graines de sésame. Chauffez le wok et versez-y l'huile. Quand elle est chaude, faites dorer les bouchées au poulet par fournées successives, en les retournant fréquemment. Égouttez sur du papier absorbant.

4 Préparez la sauce en mélangeant dans un bol la sauce hoisin et celle au piment doux. Garnissez le plat de bouchées avec les lanières de gingembre, les pistaches et l'aneth. Servez chaud avec un bol de sauce pour y tremper les bouchées.

Canapés au poulet épicé

Ces petits canapés d'apéritif fourrés avec un mélange épicé peuvent varier d'aspect selon leur garniture. Servez-vous de pain carré pour avoir moins de chutes.

INGRÉDIENTS

Pour 18 canapés

75 g/3 oz de poulet cuit émincé
2 petits oignons hachés
2 c. à soupe de poivron rouge coupé en fines lamelles
6 c. à soupe de mayonnaise au curry
6 tranches de pain de mie blanc
1 c. à soupe de paprika
1 c. à soupe de persil frais, ciselé
2 c. à soupe de cacahuètes salées et pilées

1 Mélangez dans un bol le poulet émincé, les petits oignons, le poivron rouge et la moitié de la mayonnaise au curry.

2 Tartinez le mélange sur trois tranches de pain, et posez les trois autres en sandwich par-dessus, en appuyant bien. Étalez le reste de la mayonnaise sur le dessus du sandwich et découpez le pain en cercles de 4 cm/1 1/2 po à l'emporte-pièce.

3 Trempez le dessus du canapé dans le paprika, dans le persil ou dans les cacahuètes pilées et disposez joliment sur un plat de service.

Repas de semaine

Aumônières de poulet

Tirez parti de la variété des volailles hachées disponibles pour réaliser une recette facile et rapide : des crêpes fourrées d'un délicieux mélange de poulet et de pommes.

INGRÉDIENTS

Pour 4 personnes

Pour la garniture

2 c. à soupe d'huile
450 g/1 lb de poulet cru haché
2 c. à soupe de ciboulette hachée
2 pommes vertes, épépinées et coupées en dés
4 c. à soupe de farine
175 ml/6 fl oz de bouillon de poulet
sel et poivre noir

Pour les crêpes

115 g/4 oz de farine
pincée de sel
1 œuf, battu
300 ml/$^1/_2$ pinte de lait
huile pour faire les crêpes

Pour la sauce

4 c. à soupe de coulis de canneberge
50 ml/2 fl oz de bouillon de poule
1 c. à soupe de miel liquide
2 c. à soupe de Maïzena

1 Pour la garniture, chauffez l'huile dans une grande casserole et faites-y revenir le poulet 5 min. Ajoutez la ciboulette, les pommes, puis la farine. Mouillez avec le bouillon, salez et poivrez. Cuisez 20 min.

2 Pour les crêpes, tamisez la farine dans un bol, ajoutez la pincée de sel, faites un puits au centre et cassez-y l'œuf. Remuez, versez doucement le lait tout en battant le mélange pour éliminer les grumeaux. Chauffez l'huile dans une poêle de 15 cm/6 po de diamètre. Videz l'excès d'huile et versez un quart de la pâte tout en inclinant la poêle pour bien répartir la pâte sur tout le fond. Cuisez 2 à 3 min. Retournez la crêpe et cuisez-la encore 2 min. Gardez au chaud les crêpes empilées.

3 Pour la sauce, mettez le coulis de canneberge, le bouillon et le miel dans une casserole. Chauffez à feu doux. Délayez la Maïzena avec 4 c. à soupe d'eau froide, versez dans la casserole, portez à ébullition. Cuisez jusqu'à ce que le mélange soit fluide.

4 Posez une cuillerée de garniture au centre de chaque crêpe, resserrez les bords en aumônières. Servez garnies de sauce et de légumes verts.

Roulé de poulet

Un plat assez simple à préparer : farce au bœuf roulée dans du poulet enrobé de fromage frais à l'ail fondant dans la bouche.

INGRÉDIENTS

Pour 4 personnes

4 blancs de poulet désossés d'environ 115 g/4 oz chaque
115 g/4 oz de steak haché
2 c. à soupe de ciboulette fraîche
225 g/8 oz de Boursin ou de fromage frais à l'ail
2 c. à soupe de miel liquide
sel et poivre

1 Préchauffez le four à 190°C/375°F/Th. 5. Mettez les blancs de poulet côte à côte entre deux couches de film transparent, battez-les avec un maillet à viande jusqu'à ce qu'ils aient 1 cm/1/2 po d'épaisseur.

2 Mettez le steak haché dans une grande casserole et faites revenir 3 min. Ajoutez la ciboulette, le sel et le poivre. Laissez refroidir.

3 Étalez sur une planche les blancs de poulet aplatis en un seul morceau allongé et tartinez-les de fromage frais à l'ail.

4 Étalez le steak haché par-dessus, en couche uniforme.

5 Roulez le poulet en serrant bien, pour lui donner la forme d'une grosse saucisse.

6 Appliquez le miel au pinceau et mettez le rouleau dans un plat à four. Enfournez 1 h. Découpez-le hors du plat. Servez avec les légumes juste cuits.

Poulet aux abricots et corbeilles à la noix de pécan

Les « corbeilles » de pomme de terre accompagnent très joliment le poulet et l'on peut facilement en varier la garniture au gré de sa fantaisie.

INGRÉDIENTS

Pour 8 personnes

8 blancs de poulet en filets
2 c. à soupe de beurre
6 champignons coupés en lamelles
1 c. à soupe de noix de pécan pilées
115 g/4 oz de jambon cuit
50 g/2 oz de chapelure
1 c. à soupe de persil ciselé, plus feuilles pour garnir
sel et poivre
sticks à cocktail pour tenir les rouleaux

Pour la sauce

15 g/1/2 oz/1 c. à soupe de Maïzena
120 ml/4 fl oz de vin blanc
4 c. à soupe de beurre
50 g/2 oz de chutney d'abricot

Pour les corbeilles de pomme de terre

4 grosses pommes de terre
175 g/6 oz de chair à saucisse
225 g/8 oz d'abricots en boîte (au jus), égouttés et coupés en quatre
1/4 de c. à café de cannelle
1/2 c. à café d'écorce d'orange râpée
2 c. à soupe de sirop d'érable
2 c. à soupe de beurre
35 g/1 1/4 oz de noix de pécan pilées, plus quelques demi-noix pour décorer

1 Préchauffez le four à 160°C/325°F/Th. 5. Mettez le poulet entre deux feuilles de papier sulfurisé. Faites fondre le beurre dans une poêle et sauter champignons, noix de pécan, jambon. En remuant, ajoutez chapelure, persil, sel, poivre. Posez le mélange sur les blancs de poulet, roulez chacun, fermez, en le piquant d'un stick à cocktail. Mettez à rafraîchir.

2 Enfournez les pommes de terre. Délayez la Maïzena avec un peu de vin en une crème lisse. Ajoutez dans une casserole la Maïzena au reste du vin. Cuisez en un mélange homogène. Ajoutez le beurre et le chutney aux abricots, cuisez 5 min. en remuant sans cesse.

3 Mettez les blancs de poulet dans un plat creux allant au four et couvrez avec la sauce. Cuisez au four 20 min. en arrosant deux fois le poulet avec les jus de cuisson.

4 Les pommes de terre cuites, coupez-les en deux et évidez-les mais en laissant une petite épaisseur de chair sur la peau. Écrasez la pulpe obtenue, puis réservez-la dans un bol.

5 Faites revenir la chair à saucisse, ôtez l'excès de graisse. Ajoutez le reste des ingrédients et cuisez 1 min. Versez sur les pommes de terre, mélangez le tout, remplissez-en les « coques » de pommes de terre. Décorez avec les demi-noix de pécan, remettez au four avec le poulet et cuisez 30 min.

6 Sortez le poulet et versez la sauce dans une saucière. Découpez les blancs en tranches, disposez sur des assiettes et nappez de sauce. Servez avec les corbeilles en garnissant de feuilles de persil.

Poulet en sauce de poivron jaune

Escalopes de poulet fourrées au fromage frais à l'ail et nappées de sauce au poivron jaune.

INGRÉDIENTS

Pour 4 personnes

2 c. à soupe d'huile d'olive
2 gros poivrons jaunes, épépinés, en petits morceaux
1 oignon de petite taille, émincé
1 c. à soupe d'orange pressée
300 ml/$^1/_2$ pinte de bouillon de poule
4 blancs de poulet
75 g/3 oz de Boursin ou de fromage frais à l'ail
12 feuilles de basilic frais
2 c. à soupe de beurre
sel et poivre noir

1 Pour la sauce, chauffez la moitié de l'huile dans une poêle, faites ramollir doucement le poivron et l'oignon. Ajoutez l'orange pressée et le bouillon et laissez cuire juqu'à ce que le poivron soit très tendre. Réservez.

2 Pendant ce temps, étalez les blancs de poulet et aplatissez-les en battant légèrement.

3 Tartinez de Boursin ou autre fromage frais à l'ail les escalopes de poulet aplaties en filets. Ciselez la moitié du basilic et parsemez-en le poulet. Roulez les filets, attachez avec un demi-stick à cocktail.

4 Chauffez le reste de l'huile et le beurre dans une poêle à frire et faites sauter les filets 7 à 8 min. en les retournant souvent, jusqu'à ce qu'ils soient bien cuits et dorés.

5 Pendant ce temps, remettez la préparation de poivron jaune dans la poêle en la passant au tamis (on peut aussi la réduire au mixer avant de la tamiser). Salez, poivrez et réchauffez, ou bien servez froid. Servez la sauce avec les filets, en garnissant avec le reste des feuilles de basilic.

ASTUCE

On peut remplacer le poulet par des escalopes de dinde ou de veau.

Couscous poulet au piment

Le couscous change un peu du riz et permet toutes sortes de variations sur ce thème.

INGRÉDIENTS

Pour 4 personnes

225 g/8 oz de couscous
1 litre/1 3/4 pinte d'eau bouillante
1 c. à café d'huile d'olive
400 g/14 oz de poulet désossé et pelé, coupé en cubes
1 poivron jaune, épépiné et coupé en lamelles
2 grosses courgettes en tranches épaisses
1 petit piment vert, coupé fin ou bien 1 c. à café de sauce soja
1 grosse tomate, coupée en dés
425 g/15 oz de pois chiches en boîte, égouttés
sel et poivre noir
brins de coriandre ou de persil frais

1 Mettez le couscous dans une grande jatte en pyrex et versez-y l'eau bouillante. Couvrez et laissez reposer 30 min.

2 Chauffez l'huile dans une grande poêle teflon et saisissez le poulet à feu très vif, puis réduisez le feu.

3 Ajoutez le poivron, les courgettes et le piment (ou la sauce) et cuisez 10 min., jusqu'à ce que les légumes soient tendres.

4 Incorporez la tomate, les pois chiches, le couscous. Salez, poivrez et faites cuire à feu moyen en retournant. Servez garni de brins de coriandre ou de persil frais.

Poulet à l'aubergine et aux haricots rouges

Haricots rouges et poulet entre des couches d'aubergine, le tout nappé de yaourt.

INGRÉDIENTS

Pour 4 personnes

1 aubergine de taille moyenne
1 c. à soupe d'huile d'olive, à appliquer au pinceau
450 g/1 lb de blanc de poulet désossé et coupé en dés
1 oignon moyen, haché
400 g/14 oz de tomates coupées en petits morceaux
425 g/15 oz de haricots rouges en boîte, égouttés
1 c. à café de paprika
1 c. à soupe de thym frais, haché ou 1 c. à café de thym séché
1 c. à café de purée de piment
350 g/12 oz de yaourt à la grecque
1/2 c. à café de noix de muscade râpée
sel et poivre noir

1 Préchauffez le four à 190°C/375°F/Th 5. Mettez les tranches d'aubergines dans un égouttoir et saupoudrez-les de sel.

2 Laissez dégorger 30 min., puis rincez et essuyez avec du papier absorbant. Huilez une poêle teflon au pinceau et faites-y revenir les aubergines coupées en tranches fines par fournées successives, en les retournant une fois, jusqu'à ce qu'elles dorent.

3 Réservez les aubergines, puis dorez légèrement le poulet et l'oignon. Ajoutez les tomates, les haricots rouges, le thym, la purée de piment, le sel et le poivre. Mélangez le yaourt et la noix de muscade dans un bol.

4 Dans un plat à feu, alternez des couches de poulet-haricots rouges et d'aubergines, en finissant par des aubergines. Étalez le yaourt pardessus et cuisez au four 50 à 60 min.

Spirales de poulet

Ces petites spirales qui font de l'effet sont faciles à réaliser. C'est un bon moyen d'agrémenter joliment un poulet ordinaire.

INGRÉDIENTS

Pour 4 personnes

4 blancs de poulet d'environ 90 g/3 1/2oz chaque, coupés en filets minces
4 c. à café de purée de tomate
15 g/1 1/2 oz de grandes feuilles de basilic
1 gousse d'ail écrasée
1 c. à soupe de lait écrémé
2 c. à soupe de farine de blé complète
sel et poivre noir
passata ou sauce de tomates fraîches, et pâtes, pour servir

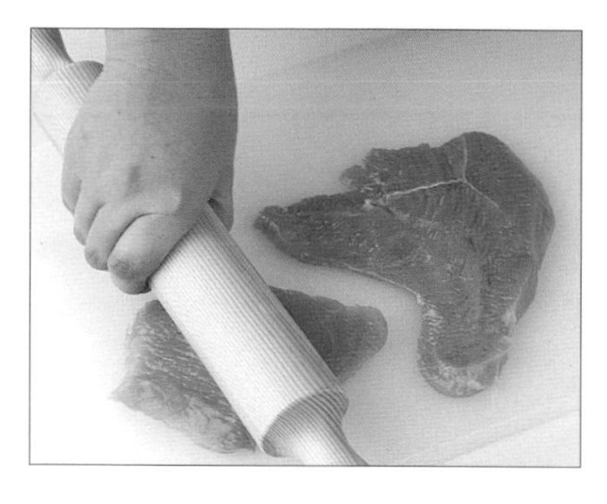

1 Disposez les blancs sur une planche. Aplatissez-les légèrement si nécessaire en les battant au rouleau ou au maillet à viande.

2 Tartinez le poulet de purée de tomate sur laquelle on posera des feuilles de basilic, un peu d'ail écrasé, du sel et du poivre.

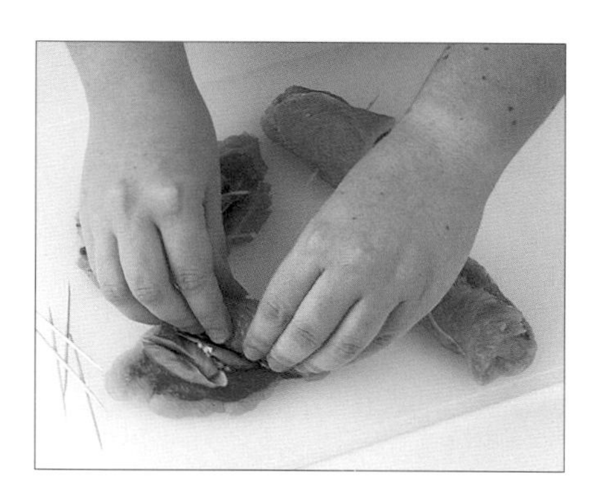

3 Roulez fermement les blancs autour de la garniture, attachez avec un stick à cocktail. Badigeonez de lait au pinceau et saupoudrez de farine pour enrober légèrement chaque rouleau.

4 Disposez les spirales sur une tôle recouverte de papier d'aluminium et cuisez sous le gril 15 à 20 min. en retournant de temps en temps. Servez chaud, découpé en tranches, nappé d'une ou deux cuillerées de passata (sauce de tomates fraîches) et accompagné de pâtes parsemées de basilic frais.

ASTUCE

Pour aplatir les blancs, mettez-les entre deux couches de film transparent.

L'omelette garnie du lundi

Tout l'art d'accommoder les restes se retrouve dans cette savoureuse omelette servie chaude ou froide.

INGRÉDIENTS

Pour 4 à 6 personnes

2 c. à soupe d'huile d'olive
1 gros oignon haché
2 grosses gousses d'ail écrasées
115 g/4 oz de lard sans couenne, émincé
50 g/2 oz de poulet froid, coupé en petits morceaux
115 g/4 oz de restes de légumes cuits (de préférence pas trop cuits)
115 g/4 oz de restes de riz ou de pâtes
4 œufs
2 c. à soupe d'herbes fraîches hachées (persil, ciboulette, marjolaine ou estragon) ou 2 c. à café d'herbes séchées
1 c. à café de sauce Worcester, ou plus selon le goût
1 c. à soupe de cheddar râpé (choisir du mature cheddar)
sel et poivre noir

1 Chauffez l'huile dans une grande poêle et faites sauter l'oignon, l'ail et le lard (ce dernier doit rendre toute sa graisse).

2 Ajoutez le poulet, les légumes et le riz. Battez uniformément les œufs, avec les herbes, la sauce Worcester, le sel et le poivre. Versez ce mélange sur le riz (ou les pâtes) et les légumes en remuant d'abord légèrement, puis laissez cuire à feux doux 5 min. sans remuer.

3 Quand l'omelette commence à prendre, saupoudrez-la de fromage, puis finissez la cuisson sous le gril préchauffé jusqu'à ce que l'omelette soit bien ferme et dorée.

ASTUCE

Ce plat étant également délicieux froid, il est parfait pour les pique-niques ou comme casse-croûte de midi.

Lasagnes au poulet

Inspiré des lasagnes italiennes au bœuf, voilà un plat qui, accompagné d'une salade verte, régalera les convives de tous âges.

INGRÉDIENTS

Pour 8 personnes

2 c. à soupe d'huile d'olive
900 g/2 lb de poulet cru, émincé
225 g/8 oz de lard sans couenne, coupé en petits morceaux
2 gousses d'ail écrasées
450 g/1 lb de poireaux coupés en lamelles
225 g/8 oz de carottes coupées en fines rondelles
2 c. à soupe de purée de tomate
475 ml/16 fl oz de bouillon de poulet
12 feuilles de lasagne verde

Pour la sauce au fromage

4 c. à soupe de beurre
50 g/2 oz de farine
600 ml/1 pinte de lait
115 g/4 oz de cheddar (type mature), râpé
1/4 de c. à café de moutarde anglaise en poudre
sel et poivre noir

1 Chauffez l'huile dans une grande cocotte et faites sauter à feu vif le poulet cru et le lard, en séparant les morceaux avec une cuillère en bois. Ajoutez les gousses d'ail, le poireau et les carottes et laissez cuire 5 min. jusqu'à ce que les légumes ramollissent. Ajoutez la purée de tomate, le bouillon, le sel et le poivre. Portez à ébullition, couvrez et laissez mijoter 30 min.

2 Pour la sauce, faites fondre le beurre dans une casserole, ajoutez la farine et versez le lait peu à peu tout en remuant pour homogénéiser le mélange. Portez à ébullition en remuant sans arrêt jusqu'à épaississement puis laissez mijoter quelques min. Ajoutez le fromage râpé et la moutarde, salez et poivrez.

3 Préchauffez le four à 190°C/375°F/Th. 5. Dans un plat à feu d'une contenance de 2,5 litres/5 pintes, étalez des couches successives de poulet et de lasagne, avec la moitié de la sauce au fromage. Commencez et finissez par une couche de poulet.

4 Versez le reste de la sauce au fromage pour couvrir le plat, parsemez le reste du fromage râpé et enfournez une heure ou jusqu'à ce que le plat frissonne et dore sur le dessus.

Farcis de poulet croustillants

On peut les préparer à l'avance à condition de bien laisser refroidir la farce avant d'en garnir les blancs. C'est un excellent plat pour une fête.

INGRÉDIENTS

Pour 4 personnes

4 blancs de poulet, désossés
2 c. à soupe de beurre
1 gousse d'ail écrasée
1 c. à soupe de moutarde de Dijon

Pour la farce

1 c. à soupe de beurre
1 botte de petits oignons émincés
3 c. à soupe de chapelure fraîchement faite
2 c. à soupe de pignons
1 jaune d'œuf
1 c. à soupe de persil frais, haché
sel et poivre noir
4 c. à soupe de fromage râpé

Pour le nappage

2 tranches de lard maigre, en petits morceaux
50 g/2 oz de chapelure fraîchement faite
1 c. à soupe de parmesan râpé
1 c. à soupe de persil frais, haché

1 Préchauffez le four à 200°C/400°F/Th. 6. Pour la farce, chauffez 1 c. à soupe de beurre dans une poêle et faites revenir les petits oignons. Enlevez du feu et laissez refroidir quelques minutes.

2 Ajoutez les autres ingrédients et mélangez bien le tout.

3 Pour le nappage, faites revenir les lardons jusqu'à ce qu'ils soient croustillants et enlevez l'excès de graisse avant de les mélanger à la chapelure, au parmesan et au persil.

4 À l'aide d'un couteau bien aiguisé, pratiquez une longue incision dans chaque blanc pour y former une poche profonde.

5 Divisez la farce en quatre et remplisez-en les blancs. Disposez-les dans un plat à feu au fond préalablement beurré.

6 Faites fondre le reste du beurre, mélangez-le à l'ail écrasé et à la moutarde et badigeonnez-en généreusement les blancs au pinceau. Enrobez chaque blanc avec le mélange et enfournez sans couvercle 30 à 40 min.

Poulet au miel et au pamplemousse

Les blancs de poulet cuisent très vite et sont parfaits pour un petit dîner « express ». Mais évitez de trop les cuire.

Vous pouvez aussi les remplacer par des steaks de dinde désossés ou des magrets de canard.

INGRÉDIENTS

Pour 4 personnes

4 portions de blancs de poulet, pelé
4 c. à soupe de miel liquide
1 pamplemousse rose, pelé et détaillé en 12 quartiers
sel et poivre noir
pâtes et feuilles de salade, pour servir

1 Avec un gros couteau bien aiguisé, pratiquez trois entailles profondes dans les blancs.

2 Badigeonnez bien le poulet de miel (au pinceau), salez et poivrez de tous les côtés.

3 Disposez les blancs dans un plat à feu, le côté sans entailles tourné vers le haut, et placez sous le gril à feu moyen 2 à 3 min.

4 Retournez le poulet et introduisez les quartiers de pamplemousse dans les entailles. Étalez le reste du miel au pinceau et laissez cuire à cœur encore 5 min. Au besoin, réduisez le feu pour éviter que le miel brûle. Servez immédiatement, accompagné de pâtes et de feuilles de salade.

Poulet croustillant au riz à l'ail

Les ailes de poulet bien cuites renferment une quantité de chair surprenante et font un repas très économique pour une bande de jeunes affamés. Prévoyez une bonne provision de papier absorbant et de serviettes en papier, et des rince-doigts.

INGRÉDIENTS

Pour 4 personnes

1 gros oignon haché
2 gousses d'ail écrasées
2 c. à soupe d'huile de tournesol
175 g/6 oz de riz basmati
350 ml/12 fl oz de bouillon de poulet, chaud
2 c. à café d'écorce de citron, râpée
2 c. à soupe d'herbes variées hachées
8 à 12 ailes de poulet
50 g/2 oz de farine
sel et poivre noir
sauce de tomates fraîches et légumes, pour servir

1 Préchauffez le four à 200°C/400°F/Th. 6. Faites blondir l'ail et l'oignon dans une grande cocotte. Versez le riz en remuant, de façon à ce que tous les grains soient bien huilés.

2 Mouillez avec le bouillon, ajoutez l'écorce de citron et les herbes, et portez à ébullition. Couvrez et cuisez 40 à 50 min., à mi-hauteur du four. Remuez une ou deux fois pendant la cuisson.

3 Pendant ce temps, essuyez les ailes de poulet. Ayant salé et poivré la farine, enrobez-en les ailes.

4 Disposez les ailes dans un petit plat à feu et faites cuire 30 à 40 min. en haut du four, en retournant une fois, jusqu'à ce que le poulet soit croustillant.

5 Servez le riz et les ailes de poulet avec une sauce de tomates fraîches et des légumes.

Poulet thaïlandais aux petits légumes poêlés

Un plat rapide auquel on peut apporter une note plus relevée en prenant du gingembre frais.

INGRÉDIENTS

Pour 4 personnes

1 morceau de lemon-grass ou écorce d'un demi-citron, coupés en fines lamelles
1 morceau de gingembre frais d'1 cm/ 1/2 po de longueur
1 grosse gousse d'ail
2 c. à soupe d'huile de tournesol
275 g/10 oz de poulet maigre, émincé
1/2 poivron rouge, épépiné et coupé en lamelles
1/2 poivron vert, épépiné et coupé en lamelles
4 petits oignons, hachés fin
2 carottes de taille moyenne, coupées en petites lanières
115 g/4 oz de haricots verts fins
2 c. à soupe de sauce à l'huître
une pincée de sucre
sel et poivre noir
25 g/1 oz de cacahuètes salées légèrement concassées, feuilles de coriandre, en garniture
riz cuit, pour servir

1 Coupez le lemon-grass ou l'écorce de citron en fines lamelles. Pelez et émincez le gingembre et l'ail. Chauffez l'huile dans une poêle à feu très vif. Jetez-y le lemon-grass ou l'écorce de citron, le gingembre et l'ail, et faites dorer 30 secondes.

2 Ajoutez le poulet et faites revenir 2 min. en remuant constamment. Ajoutez les légumes et faites revenir 4 à 5 min. en remuant sans cesse (le poulet doit être cuit et les légumes presque cuits).

3 Tout en remuant, versez la sauce à l'huître et le sucre. Salez, poivrez, et faites revenir encore 1 min. pour bien mélanger les ingrédients. Servez immédiatement, saupoudré de cacahuètes et de coriandre, avec du riz cuit.

Poulet aux herbes et aux lentilles

Poulet rôti sur un lit de lentilles aux herbes, servi avec une noisette de beurre à l'ail.

INGRÉDIENTS

Pour 4 personnes

115 g/4 oz de lard épais ou de poitrine de porc, découenné, en petits morceaux
1 gros oignon émincé
475 ml/16 fl oz de bouillon de poulet bien assaisonné
feuille de laurier
2 brins de persil, 2 de marjolaine, et 2 de thym
225 g/8 oz de lentilles vertes ou brunes
4 portions de poulet
sel et poivre noir
4 c. à soupe de beurre à l'ail

ASTUCE

Pour un plat économique, achetez un petit poulet et coupez-le en quatre pour faire des portions généreuses.

1 Faites revenir le lard ou la poitrine de porc dans une cocotte à fond épais jusqu'à ce que toute la graisse sorte et que le lard commence à brunir. Ajoutez l'oignon et faites sauter 2 min.

2 Tout en remuant, versez le bouillon, ajoutez le laurier, les tiges des herbes et quelques feuilles (réservez quelques brins complets pour la garniture), les lentilles, le sel et le poivre. Préchauffez le four à 190°C/375°F/Th. 5.

3 Faites sauter les portions de poulet dans une poêle de façon à dorer la peau, puis disposez-les sur le lit de lentilles. Salez, poivrez et saupoudrez d'herbes.

4 Couvrez la cocotte et cuisez au four 40 min. environ. Servez en garnissant chaque portion d'une noisette de beurre à l'ail et du reste des herbes.

Poulet à la menthe et au yaourt

Poulet grillé, mariné dans du yaourt avec de la menthe, du citron et du miel.

INGRÉDIENTS

Pour 4 personnes

8 hauts de cuisse de poulet, pelés
1 c. à soupe de miel liquide
2 c. à soupe de jus de citron vert ou de citron
2 c. à soupe de yaourt nature
4 c. à soupe de menthe fraîche, hachée
sel et poivre noir
pommes de terre nouvelles et salade de tomates, pour servir

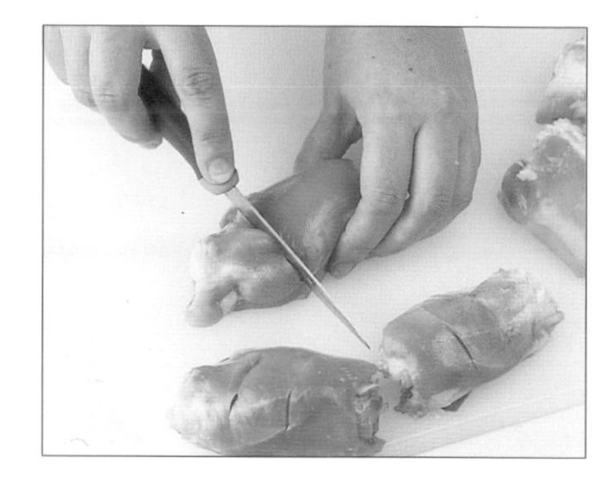

1 Entaillez les hauts de cuisse à intervalles réguliers avec un couteau bien aiguisé et mettez-les dans une jatte.

2 Mélangez le miel, le jus de citron vert ou de citron, le yaourt, le sel et le poivre et la moitié de la menthe.

3 Versez la marinade à la cuillère sur le poulet et laissez mariner 30 min. Couvrez la lèchefrite de papier d'aluminium et mettez le poulet sous un gril modérément chaud jusqu'à ce qu'il soit cuit et bien doré, en le retournant de temps en temps au cours de la cuisson.

4 Saupoudrez le poulet du reste de menthe et servez avec les pommes de terre nouvelles et une salade de tomates.

Poulet en robe d'avoine parée de sauge

Les flocons d'avoine font d'excellents panés et permettent un apport de fibres supplémentaire.

INGRÉDIENTS

Pour 4 personnes

3 c. à soupe de lait écrémé
2 c. à café de moutarde à l'anglaise
40 g/1 1/2 oz de flocons d'avoine
3 c. à soupe de feuilles de sauge hachées
8 hauts de cuisse ou de pilons de poulet, pelés
115 g/4 oz de fromage frais allégé
1 c. à café de moutarde à l'ancienne
sel et poivre noir
feuilles de sauge fraîche, pour garnir

ASTUCE

À défaut de sauge fraîche, ne la remplacez pas par de la sèche, préférez-lui plutôt une autre herbe fraîche, tels le thym ou le persil.

1 Préchauffez le four à 200°C/ 400°F/Th. 6. Mélangez le lait et la moutarde à l'anglaise.

2 Dans une assiette, mélangez les flocons d'avoine, 2 c. à soupe de sauge, sel et poivre. Enduisez le poulet de lait puis roulez-le dans les flocons d'avoine.

3 Disposez le poulet sur une tôle et cuisez 40 min. environ (le poulet doit rendre un jus limpide et non rose quand on le transperce dans sa partie charnue).

4 Pendant ce temps, mélangez le fromage frais allégé, la moutarde à l'ancienne, le reste de la sauge, du sel et du poivre. Servez avec le poulet qu'on garnira de sauge fraîche. Dégustez chaud ou froid.

Tagine de poulet

Inspiré d'un plat marocain traditionnel. Vous pouvez cuire le couscous et le poulet la veille et les réchauffer au moment du repas.

INGRÉDIENTS

Pour 8 personnes

8 cuisses de poulet (haut de cuisse et pilon)
2 c. à soupe d'huile d'olive
1 oignon moyen, haché fin
2 gousses d'ail écrasées
1 c. à café de curcuma en poudre
1/2 c. à café de gingembre en poudre
1/2 c. à café de cannelle en poudre
475 g/16 fl oz de bouillon de poulet
150 g/5 oz d'olives vertes dénoyautées
1 citron coupé en rondelles
sel et poivre noir
brins de coriandre fraîche, pour garnir

Pour le couscous aux légumes

600 ml/1 pinte de bouillon de poulet
450 g/1 lb de couscous
4 courgettes coupées en rondelles épaisses
2 carottes coupées en rondelles épaisses
2 petits navets pelés et coupés en cubes
3 c. à soupe d'huile d'olive
450 g/1 lb de pois chiches en boîte, égouttés
1 c. à soupe de coriandre fraîche

1 Préchauffez le four à 180°C/350°F/Th. 4. Séparez les pilons des hauts de cuisse en tranchant l'articulation.

2 Chauffez l'huile dans une grande cocotte et faites dorer le poulet par fournées. Égouttez, réservez dans un plat tenu au chaud.

3 Faites revenir à feu doux dans la cocotte l'ail et l'oignon jusqu'à ce qu'ils soient tendres. Ajoutez les épices, faites revenir 1 min. Mouillez avec le bouillon, portez à ébullition, plongez-y le poulet. Couvrez, cuisez au four 45 min. jusqu'à ce que la viande soit à point. Mettez le poulet dans un plat, couvrez et tenez au chaud.

4 Dégraissez le bouillon et portez à ébullition pour le réduire d'un tiers. Blanchissez les olives et les tranches de citron dans une casserole d'eau bouillante jusqu'à ce que l'écorce du citron soit tendre. Égouttez les olives et le citron et ajoutez-les au bouillon. Salez, poivrez si besoin.

5 Pour le couscous, faites bouillir le bouillon de poulet dans un fait-tout, versez-y le couscous en pluie fine en remuant. Ôtez du feu, couvrez, laissez reposer 5 min.

6 Pendant ce temps, cuisez les légumes préparés, égouttez-les et mettez-les dans une grande jatte. Ajoutez le couscous, l'huile, salez et poivrez. Remuez pour aérer et séparer les grains de couscous, ajoutez les pois chiches et, en dernier lieu, la coriandre hachée. Avec une grande cuillère, dressez le couscous sur un grand plat, recouvrez-le de poulet et versez le bouillon à la cuillère. Garnissez de coriandre fraîche.

Poulet aux asperges

Si vous utilisez des asperges en boîte au lieu de fraîches, réchauffez-les simplement en fin de préparation, en les ajoutant au plat.

INGRÉDIENTS

Pour 4 personnes

4 gros blancs de poulet, désossés et pelés
1 c. à soupe de coriandre en poudre
2 c. à soupe d'huile d'olive
20 pointes d'asperges de 7,5 à 10 cm/3 à 4 po de long
300 ml/½ pinte de bouillon de poulet
1 c. à soupe de Maïzena
1 c. à soupe de jus de citron
sel et poivre noir fraîchement moulu
1 c. à soupe de persil frais, haché

1 Divisez les blancs en deux. Placez les filets entre deux feuilles de film transparent et aplatissez-les au rouleau à pâtisserie de façon à leur donner 5 mm/¼ po d'épaisseur. Coupez en diagonale des bandes de 2,5 cm/1 po de large. Recouvrez les morceaux de coriandre.

2 Chauffez l'huile dans une grande sauteuse et faites dorer le poulet à feu vif 3 à 4 min., par petites fournées. Salez et poivrez, sortez de la poêle et réservez au chaud.

3 Mettez les asperges et le bouillon de poulet dans la sauteuse et portez à ébullition. Cuisez 4 à 5 min. ou jusqu'à ce que les asperges soient à point.

4 Délayez la Maïzena avec un peu d'eau froide et versez dans le bouillon pour l'épaissir. Remettez le poulet dans la sauteuse et ajoutez le jus de citron. Réchauffez et servez immédiatement en garnissant avec le persil frais.

Aumônières de poulet aux carottes et aux poireaux

Ces étonnantes aumônières sont rapides à réaliser et on peut les congeler. On les cuit alors doucement, sans décongélation.

INGRÉDIENTS

Pour 4 personnes

4 filets de poulet ou blancs désossés
2 petits poireaux en rondelles fines
2 carottes râpées
4 olives noires dénoyautées, coupées
1 gousse d'ail écrasée
1 à 2 c. à soupe d'huile d'olive
8 filets d'anchois
sel et poivre noir
olives noires et brins de fines herbes, pour garnir

1 Préchauffez le four à 200°C/400°F/ Th. 6. Assaisonnez bien le poulet avec du sel et du poivre.

2 Répartissez le poireau également entre 4 feuilles de papier sulfurisé graissé, coupé en carrés d'environ 23 cm/9 po de côté. Posez un morceau de poulet sur chaque lit de poireau.

3 Mélangez carottes, olives, ail, huile, salez et poivrez. Mettez le mélange sur les portions de poulet. Posez 2 filets d'anchois sur chaque morceau repliez les rabats du papier par-dessous, les carottes restant sur le dessus du paquet.

4 Cuisez 20 min., servez chaud, dans le papier, garni d'olives noires et de fines herbes.

Poulet en robe de tomate

Poulet rôti dans un coulis de tomate et des tomates fraîches.

INGRÉDIENTS

Pour 4 à 6 personnes

1 poulet de grain élevé en liberté de 1,5 à 1,75 kg/3 à $4^1/2$ lb
1 oignon de petite taille
1 noix de beurre
5 c. à soupe de coulis de tomate du commerce
2 c. à soupe de fines herbes fraîches, hachées (persil, estragon, sauge, basilic, marjolaine, par exemple), ou 2 c. à café d'herbes séchées
un petit verre de vin blanc sec
2 à 3 tomates coupées en rondelles
huile d'olive
un peu de Maïzena (facultatif)
sel et poivre noir

1 Préchauffez le four à 190°C/ 375°F/Th. 5. Mettez l'oignon, la noix de beurre, du sel et du poivre à l'intérieur du poulet et posez-le sur un plat à feu.

2 Badigeonnez le poulet avec presque toute la sauce tomate, saupoudrez-le de fines herbes (environ la moitié), salez et poivrez. Versez le vin dans le plat de cuisson.

3 Couvrez avec du papier d'aluminium, laissez rôtir 1 h 30 en arrosant de temps en temps. Enlevez l'aluminium, couvrez le poulet avec le reste du coulis et les tranches de tomates et aspergez d'huile d'olive. Laissez cuire environ 20 à 30 min.

4 Saupoudrez le reste de fines herbes sur le poulet, découpez. Épaississez le jus avec de la Maïzena, si vous le souhaitez.

Poulet « Strogonov »

D'après le fameux bœuf Strogonov russe. Servez avec du riz et de petits morceaux de céleri en branche et de petits oignons émincés.

INGRÉDIENTS

Pour 4 personnes

4 gros blancs de poulet, désossés et pelés
3 c. à soupe d'huile d'olive
1 gros oignon coupé en fines lamelles
225 g/8 oz de champignons coupés fin
300 ml/1/2 pinte de crème aigre
sel et poivre noir
1 c. à soupe de persil frais haché

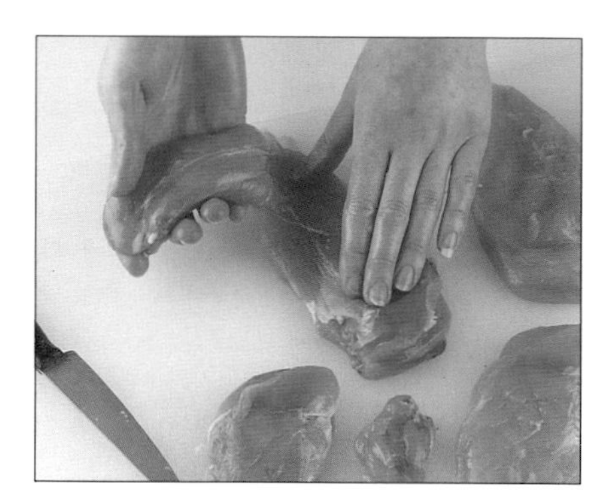

1 Divisez les blancs de poulet en deux. Placez ces filets entre deux feuilles de film transparent et aplatissez-les au rouleau à pâtisserie jusqu'à 1 cm/1/2 po d'épaisseur.

2 Coupez les filets en diagonale, en bandes de 2,5 cm de largeur.

3 Chauffez 2 c. à soupe d'huile dans une poêle. Faites revenir l'oignon à feu doux pour le ramollir.

4 Ajoutez les champignons et faites-les dorer. Retirez du feu et gardez au chaud.

5 Augmentez le feu, ajoutez l'huile qui reste et faites dorer le poulet à feu très vif, par petites fournées, 3 à 4 min. chaque. Réservez dans un plat et gardez au chaud.

6 Remettez tout le poulet, l'oignon et les champignons dans la poêle, salez et poivrez. Ajoutez la crème aigre et portez à ébullition. Saupoudrez de persil frais et servez immédiatement.

Crêpes au poulet

Une bonne manière d'accommoder des restes de poulet avec des crêpes achetées toutes faites.

INGRÉDIENTS

Pour 4 personnes

225 g/8 oz de poulet cuit, désossé

2 c. à soupe de beurre

1 oignon de petite taille, finement émincé

50 g/2 oz de champignons, finement émincés

2 c. à soupe de farine

150 ml/$^{1}/_{4}$ pinte de bouillon de poulet ou de lait

1 c. à soupe de persil frais, haché

8 petites ou 4 grandes crêpes toutes faites

huile

2 c. à soupe de fromage râpé

sel et poivre noir

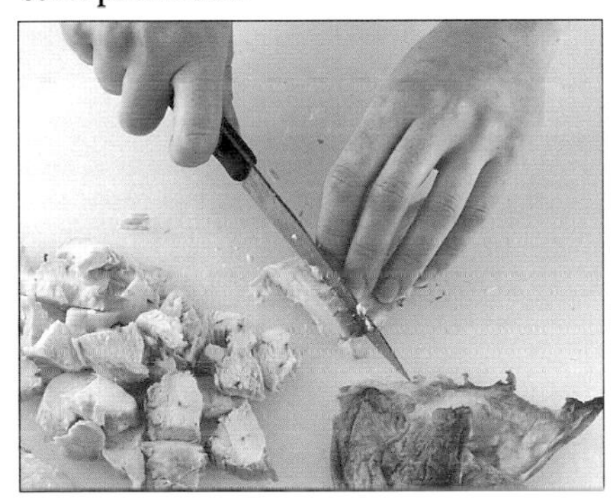

1 Pelez le poulet et coupez-le en cubes.

2 Faites fondre le beurre dans une casserole et cuisez l'oignon à feu doux jusqu'à ce qu'il soit tendre. Ajoutez les champignons. Couvrez et laissez cuire 3 à 4 min.

3 Ajoutez la farine, puis le bouillon ou le lait, en remuant continuellement. Portez à ébullition puis mijotez 2 min. Salez et poivrez.

4 Ajoutez les cubes de poulet et le persil haché.

5 Répartissez la garniture également entre les crêpes, roulez-les et disposez-les sur un plat à feu graissé. Préchauffez le gril.

6 Huiler un peu les crêpes et saupoudrez-les de fromage. Faites dorer sous le gril. Servez chaud.

Sauté de poulet au citron

Ce plat cuit en quelques minutes mais il est essentiel d'avoir préparé tous les ingrédients avant de démarrer la cuisson.

INGRÉDIENTS

Pour 4 personnes

4 blancs de poulet, désossés et pelés
1 c. à soupe de sauce de soja
5 c. à soupe de Maïzena
1 botte de petits oignons
1 citron
1 gousse d'ail écrasée
1 c. à soupe de sucre cristallisé
2 c. à soupe de sherry
150 ml/$^{1}/_{4}$ pinte de bouillon de poulet
4 c. à soupe d'huile d'olive
sel et poivre noir

1 Divisez les blancs de poulet en deux. Placez ces filets entre deux feuilles de film transparent et aplatissez-les au rouleau à pâtisserie jusqu'à 5 mm/$1^{1}/_{4}$ po d'épaisseur.

2 Coupez en diagonale des bandes de 2,5 cm/1 po de largeur dans les filets. Dans un bol imprégnez-les de la sauce soja. Saupoudrez de 4 c. à soupe de Maïzena et remuez.

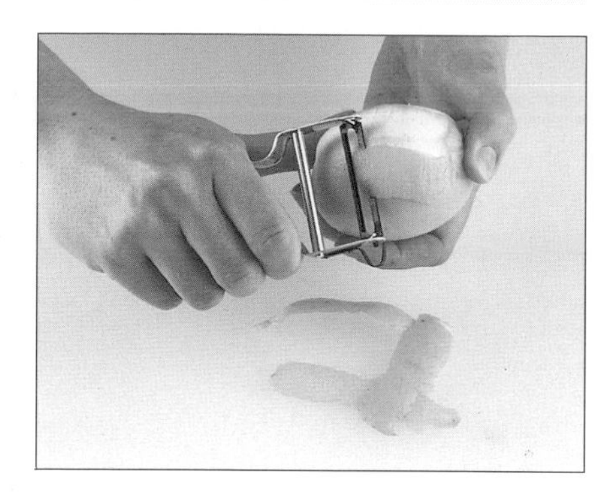

3 Enlevez les racines des petits oignons et coupez-les en diagonale, en petits morceaux de 1 cm/$^{1}/_{2}$ po. Épluchez en fines bandes l'écorce du citron, coupez-la en très fines lamelles ou râpez-la fin. Réservez le jus du ci-tron. Mélangez l'ail, le sucre, le sherry, le bouillon, le jus de citron et le reste de la Maïzena délayé avec un peu d'eau, et gardez le tout sous la main.

4 Chauffez l'huile dans un wok ou une grande poêle et faites dorer légèrement le poulet à feu très vif, par petites fournées, 3 à 4 min. chaque. Réservez dans un plat et gardez au chaud.

5 Faites revenir les petits oignons et l'ail dans la poêle 2 min.

6 Ajoutez le reste des ingrédients et le poulet, et portez à ébullition en remuant jusqu'à épaississement du mélange. Au besoin, diluez un peu avec du sherry ou du bouillon et continuez à remuer jusqu'à ce que le poulet soit entièrement recouvert de sauce. Cuisez 2 min.

Coquelets croustillants

Ces petites volailles rôtissent rapidement et sont aussi délicieuses chaudes que froides.

INGRÉDIENTS

Pour 4 personnes

2 coquelets de 900 g/2 lb

sel et poivre noir

Pour le glaçage au miel

2 c. à soupe de miel liquide

2 c. à soupe de sherry

1 c. à soupe de vinaigre

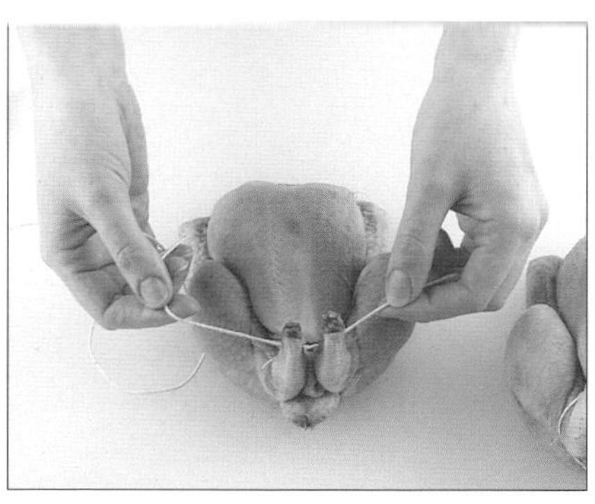

1 Préchauffez le four à 180°C/350°F/Th. 5. Bridez les coquelets, posez-les sur une grille, au-dessus de l'évier, ébouillantez-les pour « gonfler » la chair. Essuyez avec du papier absorbant.

2 Mélangez le miel, le sherry et le vinaigre et badigeonnez-en les coquelets au pinceau.

3 Mettez la grille sur la lèchefrite et faites rôtir les coquelets 45 à 55 min. Pendant la cuisson, arrosez souvent avec la sauce au miel pour que les coquelets soient bien dorés et croustillants.

Poulet cordon bleu

Un plat riche qui plaira aux amateurs de fromage. Servez simplement avec des haricots verts et des petites pommes de terre au four entaillées et fourrées de fromage frais.

INGRÉDIENTS

Pour 4 personnes

4 blancs de poulet, désossés et pelés
4 tranches de jambon cuit, maigre
4 c. à soupe de gruyère ou d'emmenthal râpé
2 c. à soupe d'huile d'olive
115 g/4 oz de petits champignons de Paris, en lamelles
4 c. à soupe de vin blanc
sel et poivre noir fraîchement moulu
cresson, pour garnir

1 Divisez les blancs de poulet en deux. Placez ces filets entre deux feuilles de film transparent et aplatissez-les au rouleau à pâtisserie jusqu'à 5 mm/1¼ po d'épaisseur. Disposez les blancs sur une planche, face supérieure contre la planche, et posez une tranche de jambon sur chaque. Répartissez le fromage entre les morceaux de poulet, salez et poivrez avec du poivre moulu frais.

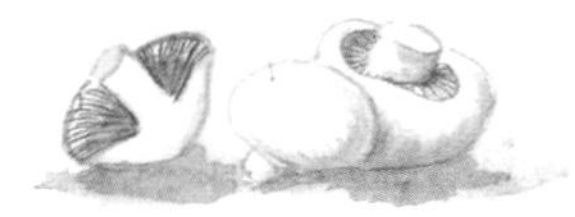

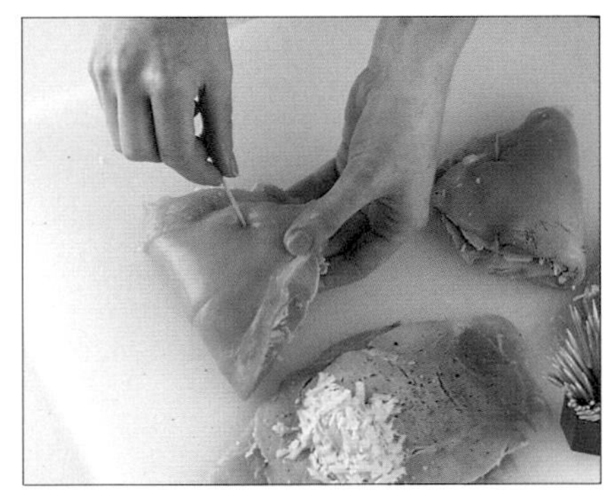

2 Pliez les blancs en deux et attachez-les avec un stick à cocktail enfilé transversalement, comme pour un point à l'aiguille.

3 Chauffez l'huile dans une grande poêle et faites dorer les paupiettes de poulet de tous les côtés. Réservez sur un plat et tenez au chaud.

4 Faites dorer les champignons dans la poêle. Ajoutez le poulet et mouillez avec le vin. Couvrez et cuisez à cœur à feu doux 15 à 20 min. Enlevez les sticks à cocktail et disposez sur un plat de service en décorant avec une botte de cresson.

Poulet pané aux herbes

Les blancs de poulet sont badigeonnés de moutarde ou de beurre fondu avant d'être recouverts de chapelure. Servez avec des pommes de terre nouvelles et de la salade.

INGRÉDIENTS

Pour 4 personnes

4 blancs de poulet, désossés et pelés
1 c. à soupe de moutarde de Dijon
50 g/2 oz de chapelure fraîche
2 c. à soupe de persil frais haché
1 c. à soupe de fines herbes séchées
2 c. à soupe de beurre fondu
sel et poivre noir fraîchement moulu

1 Préchauffez le four à 180°C/350°F/Th. 5. Mettez le poulet dans un plat à four graissé et badigeonnez-le de moutarde. Salez et poivrez avec du poivre noir fraîchement moulu.

2 Mélangez bien la chapelure et les herbes ensemble.

3 Panez le poulet, arrosez avec le beurre fondu. Cuisez 20 min. sans couvrir, ou jusqu'à ce que le poulet soit bien croustillant.

Kébabs de poulet tandoori

Ce plat est originaire des plaines du Pendjab, au pied de l'Himalaya où, traditionnellement, on le cuit dans des petits fours en terre nommés « tandoors ».

INGRÉDIENTS

Pour 4 personnes

4 blancs de poulet d'environ 175 g/6 oz chaque, désossés et pelés
1 c. à soupe de jus de citron
3 c. à soupe de sauce tandoori
3 c. à soupe de yaourt nature
1 gousse d'ail écrasée
2 c. à soupe de coriandre fraîche hachée
1 petit oignon, tranché
un peu d'huile, pour enduire
sel et poivre noir
brins de coriandre, pour garnir
riz pilaf et naans, pour servir

1 Coupez les blancs en cubes de 2,5 cm/1 po, mettez-les dans un bol, avec le jus de citron, la sauce tandoori, le yaourt, l'ail, la coriandre et l'assaisonnement. Laissez mariner à couvert au réfrigérateur 2 à 3 heures.

2 Préchauffez le gril. Sur quatre brochettes, alternez morceaux de poulet et oignons.

3 Enduisez les oignons d'huile, disposez les kébabs sur une grille et saisissez à feu vif 10 à 12 min., en retournant une fois. Garnissez de coriandre et servez immédiatement.

Poulet chinois aux noix de cajou

Une friture de poulet aux nouilles, oignons et noix de cajou.

INGREDIENTS

Pour 4 personnes

4 blancs de poulet de 175 g/6 oz environ chaque, pelés et découpés en lanières
3 gousses d'ail
4 c. à soupe de sauce soja
2 c. à soupe de Maïzena
225 g/8 oz de nouilles aux œufs séchées
3 c. à soupe d'huile d'arachide ou de tournesol
1 c. à soupe d'huile de sésame
115 g/4 oz de noix de cajou grillées
6 petits oignons divisés en morceaux de 5 cm/2 po, coupés en deux dans le sens de la longueur
fines lamelles de petit oignon
piment rouge coupé fin, pour garnir

1 Mélangez le poulet, l'ail, la sauce soja et la Maïzena dans un bol. Couvrez et laissez rafraîchir 30 min.

2 Portez une casserole d'eau à ébullition versez-y les nouilles. Éteignez le feu, laissez reposer 5 min. Égouttez bien, réservez.

3 Chauffez les huiles dans une grande poêle (ou un wok), mettez-y le poulet et la marinade, et faites dorer 3 à 4 min.

4 Ajoutez les noix de cajou et les petits oignons et faites revenir le tout 2 à 3 min.

5 Ajoutez les nouilles égouttées et faites revenir 2 min. Servez immédiatement en garnissant avec les lamelles de petits oignons et le piment rouge coupé fin.

Poulet en sauce à l'orange et à la moutarde

Cette recette est d'une superbe simplicité : le poulet continue à cuire dans son jus pendant qu'on prépare la sauce.

INGRÉDIENTS

Pour 4 personnes

2 grosses oranges
4 blancs de poulet, désossés et pelés
1 c. à café d'huile de tournesol
sel et poivre noir fraîchement moulu
pommes de terre nouvelles et courgettes en rondelles persillées, pour servir

Pour la sauce à l'orange et à la moutarde

2 c. à café de Maïzena
150 ml/$^{1}/4$ pinte de yaourt nature
1 c. à café de moutarde de Dijon

1 Pelez les oranges, en enlevant bien la sous-peau blanche. Sortez les quartiers, en opérant au-dessus d'un bol pour recueillir le jus. Réservez, avec le jus.

2 Salez et poivrez le poulet. Chauffez l'huile dans une poêle teflon et cuisez les blancs 5 min. de chaque côté. Sortez-les de la poêle et enveloppez-les de papier d'aluminium pour qu'ils continuent à cuire doucement.

3 Pour la sauce, diluez la Maïzena avec le jus d'orange. Ajoutez le yaourt et la moutarde. Versez dans la poêle teflon et portez doucement à ébullition. Laissez mijoter 1 min.

4 Ajoutez les quartiers d'orange et chauffez doucement. Déballez les blancs de poulet et versez le jus dans la sauce. Découpez les blancs en tranches obliques, nappez de sauce et servez avec des pommes de terre nouvelles et des tranches de courgettes persillées.

Poulet au chorizo

L'art d'accommoder un reste de poulet froid et d'en faire rapidement un plat relevé et nourrissant.

INGRÉDIENTS

Pour 4 personnes

3 c. à soupe d'huile végétale
1 oignon de taille moyenne haché
1 branche de céleri en fines rondelles
1/2 poivron rouge coupé fin
400 g/14 oz de riz long grain
1 litre/ 1 3/4 pinte de bouillon de poulet
1 c. à soupe de purée de tomate
3 à 4 giclées de sauce Tabasco
225 g/8 oz de poulet ou de rôti de porc froid, coupé en fines lamelles
115 g/4 oz de saucisses cuites, du genre chorizo ou kabano, coupées en rondelles
75 g/3 oz de petits pois congelés

1 Chauffez l'huile dans une sauteuse à fond épais, ajoutez l'oignon, le céleri et le poivre. Cuisez jusqu'à ramollissement mais sans dorer.

2 Ajoutez le riz, le bouillon, la purée de tomate et la sauce Tabasco. Mijotez sans couvrir 10 min.

3 Incorporez en remuant la viande froide, la saucisse et les petits pois, et laissez mijoter 5 min. Éteignez, couvrez et laissez reposer 5 min. avant de servir.

VARIANTE

On peut aussi réaliser ce plat en y ajoutant du jambon cuit, du cabillaud ou du haddock fumés, ou des coquillages.

Blancs de poulet aux olives

Ce plat rapide et savoureux est idéal pour un repas léger.

INGRÉDIENTS

Pour 4 personnes

6 c. à soupe d'huile d'olive
1 gousse d'ail, pelée et légèrement écrasée
1 piment sec, légèrement écrasé
500 g/1 1/4 lb de blancs de poulet désossés coupés en tranches de 5 mm/1/4 po d'épaisseur
100 ml/4 fl oz de vin blanc sec
4 tomates pelées et épépinées, coupées en fines lanières
24 olives noires environ
6 à 8 feuilles de basilic frais, en morceaux
sel et poivre noir

1 Chauffez 4 c. à soupe d'huile d'olive dans une grande poêle, ajoutez l'ail et le piment écrasé et faites dorer à feu doux.

2 Mettez à feu moyen et ajoutez le reste de l'huile. Dorez les tranches de poulet sur les deux faces 2 min. environ. Salez, poivrez. Réservez le poulet sur un plat chauffé.

3 Enlevez l'ail et le piment de la poêle, mettez-y le vin, les lanières de tomate et les olives. Cuisez à feu modéré 3 à 4 min., en détachant le fond de la poêle.

4 Remettez le poulet dans la poêle, saupoudrez de basilic. Réchauffez 30 secondes et servez immédiatement.

Brochettes de poulet méditérranéenne

Ces brochettes faciles à préparer peuvent être cuites au gril ou au barbecue.

INGRÉDIENTS

Pour 4 personnes

6 c. à soupe d'huile d'olive
3 c. à soupe de jus de citron frais
1 gousse d'ail finement émincée
2 c. à soupe de basilic finement haché
2 courgettes de taille moyenne
1 grande aubergine longue et mince
300 g/11 oz de poulet désossé, coupé en cubes de 5 cm/2 po
12 à 16 petits oignons au vinaigre
1 poivron rouge ou jaune, coupé en carrés de 5 cm/2 po de côté
sel et poivre noir

1 Mélangez l'huile, le jus de citron, l'ail et le basilic dans un petit bol. Salez, poivrez.

2 Coupez les courgettes et l'aubergine dans le sens de la longueur, en bandes de 5 mm/1/4 po d'épaisseur. Recoupez chaque bande aux deux tiers de sa longueur et ne conservez que le grand morceau. Enveloppez la moitié des morceaux dans la courgette, l'autre moitié dans l'aubergine.

3 Préparez les brochettes en alternant le poulet, l'oignon et le poivron. Posez les brochettes sur une grande assiette et arrosez avec le mélange d'huile et d'aromates. Laissez mariner 30 min. au moins. Préchauffez le gril ou préparez un barbecue.

4 Grillez à cœur 10 min. environ. Retournez de temps en temps en cours de cuisson. Servez bien chaud.

Coquelets au « riz sale »

Le roux, les foies de poulet et les petits morceaux de légumes donnent du « swing » à ce riz, d'où son surnom de « riz sale » en hommage au jazz, la « musique sale », comme on la surnomme parfois.

INGRÉDIENTS

Pour 4 personnes

Pour le riz

4 c. à soupe d'huile
25 g/1 oz de farine
4 c. à soupe de beurre
1 gros oignon émincé
2 branches de céleri en fines rondelles
1 poivron vert, épépiné et coupé en dés
2 gousses d'ail écrasées
200 g/7 oz de porc haché
225 g/8 oz de foies de poulet nettoyés et coupés en morceaux
sauce Tabasco
300 ml/$^{1}/_{2}$ pinte de bouillon de poulet
4 petits oignons, en fines lamelles
3 c. à soupe de persil frais haché
225 g/8 oz de riz long grain (type riz américain), cuit d'avance
sel et poivre noir

Pour les coquelets

4 coquelets
2 feuilles de laurier coupées en deux
2 c. à soupe de beurre
1 citron

ASTUCE

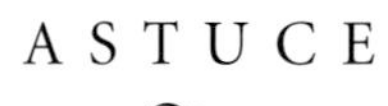

Si vous souhaitez remplacer les coquelets par des cailles, servez-en deux par personne et farcissez chacune de 2 c. à café de « riz sale » avant de les faire rôtir une vingtaine de minutes.

1 Dans une petite casserole à fond épais, faites un roux avec 2 c. à soupe d'huile et la farine. Quand il brunit, enlevez la casserole du feu et posez-la aussitôt sur une surface froide.

2 Chauffez dans une poêle les 2 c. à soupe d'huile restantes et le beurre, faites-y revenir l'oignon, le céleri et le poivron vert environ 5 min.

3 Ajoutez l'ail et le porc haché et faites-les revenir 5 min. environ, en remuant pour assurer une cuisson homogène.

4 Ajoutez les foies et faites revenir 2 à 3 min. jusqu'à ce qu'ils changent de couleur sur toutes leurs faces. Salez, poivrez et versez une giclée de sauce Tabasco.

5 Incorporez le roux à ce mélange, puis versez peu à peu le bouillon. Quand il commence à frémir, couvrez et laissez cuire 30 min. en remuant de temps en temps. Découvrez et laissez cuire encore 15 min. en remuant souvent.

6 Préchauffez le four à 200°C/400°F/Th. 6. Incorporez les petits oignons et le persil haché à la viande, puis versez sur le riz cuit et mélangez bien le tout.

7 Mettez une demi-feuille de laurier et 1 c. à soupe de riz dans chaque coquelet. Frottez la peau avec du beurre, salez et poivrez.

8 Disposez les coquelets sur une grille dans un plat à rôtir, arrosez avec le jus de citron et laissez rôtir au four 35 à 40 min. en arrosant deux fois avec les jus de cuisson.

9 Mettez le mélange de riz dans un plat à feu à bords bas, couvrez et enfournez en bas du four les 15 à 20 dernières minutes de cuisson des coquelets.

10 Servez les coquelets sur un lit de « riz sale » arrosé des jus de cuisson (dégraissés).

Paupiettes de poulet à la Kiev

Sous la robe croustillante de ce poulet la dent révèle une garniture crémeuse, parfumée avec un soupçon d'ail.

INGRÉDIENTS

Pour 4 personnes

4 gros blancs de poulet désossés et pelés
1 c. à soupe de jus de citron
115 g/4 oz de ricotta
1 gousse d'ail écrasée
2 c. à soupe de persil frais haché
1/4 de c. à café de noix de muscade fraîchement râpée
2 c. à soupe de farine
une pincée de poivre de cayenne
1/4 de c. à café de sel
115 g/4 oz de chapelure de pain blanc, fraîchement préparée
2 blancs d'œufs légèrement battus
pommes de terre écrasées avec de la crème, haricots verts et tomates grillées, pour servir

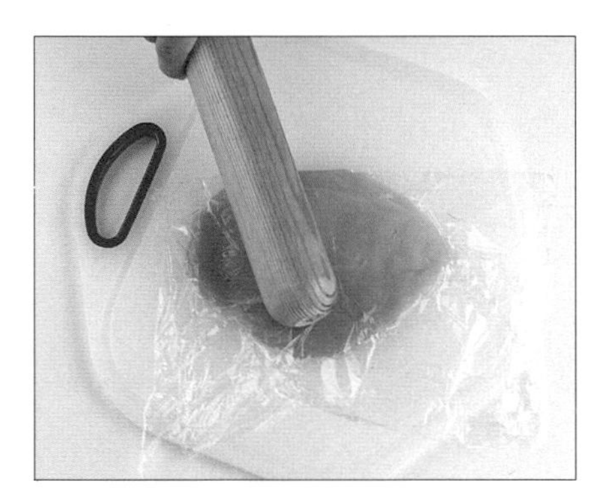

1 Préchauffez le four à 200°C/400°F/Th. 6. Mettez les blancs de poulet entre deux feuilles de film transparent et aplatissez-les légèrement au rouleau à pâtisserie. Arrosez de jus de citron.

2 Mélangez la ricotta et l'ail, 1 c. à soupe de persil haché et la noix de muscade. Formez des rouleaux de 5 cm/2 po de long.

3 Disposez un rouleau de ce mélange au centre de chaque blanc et repliez bien les côtés de façon à l'envelopper complètement.

4 Attachez chaque paupiette en la transperçant au milieu avec un stick à cocktail. Mélangez la farine, le poivre de cayenne et le sel et enduisez-en les paupiettes.

5 Mélangez la chapelure et le reste du persil. Trempez les paupiettes dans le blanc d'œuf, puis dans la chapelure. Rafraîchissez 30 min. au réfrigérateur, retrempez les paupiettes dans le blanc d'œuf puis dans la chapelure.

6 Disposez le poulet sur une tôle qui n'attache pas. Enfournez et cuisez 25 min., jusqu'à ce que l'enrobage soit bien doré et le poulet cuit à point. Enlevez les sticks et servez avec la garniture.

Coquelets farcis aux raisins et aux noix

Les raisins secs macérés au porto, les noix et les champignons font une farce originale pour ces coquelets.

INGRÉDIENTS

Pour 4 personnes

250 ml/8 fl oz de porto
50 g/2 oz de raisins secs
1 c. à soupe d'huile de noix
75 g/3 oz de champignons coupés en lamelles
1 grande branche de céleri, coupée en fines lamelles
1 oignon de petite taille, haché fin
sel et poivre
50 g/2 oz de chapelure fraîchement préparée
50 g/2 oz de noix pilées
1 c. à soupe de basilic et une de persil, ou bien
2 c. à soupe de persil haché
1/2 c. à café de thym séché
6 c. à soupe de beurre fondu
4 coquelets

1 Préchauffez le four à 180°C/350F/Th. 5.

2 Laissez macérer dans un bol le porto et les raisins secs 20 min. environ.

3 Pendant ce temps, chauffez l'huile dans une poêle teflon et jetez-y les champignons, le céleri et l'oignon, 1/4 de c. à café de sel. Faites ramollir les légumes à feu doux 8 à 10 min. environ. Laissez refroidir.

4 Égouttez les raisins secs en réservant le porto. Mélangez les raisins, la chapelure, les noix, le basilic, le persil et le thym dans un bol. Incorpore-y le mélange précédent et 4 c. à soupe de beurre. Ajoutez 1/2 c. à café de sel et de poivre.

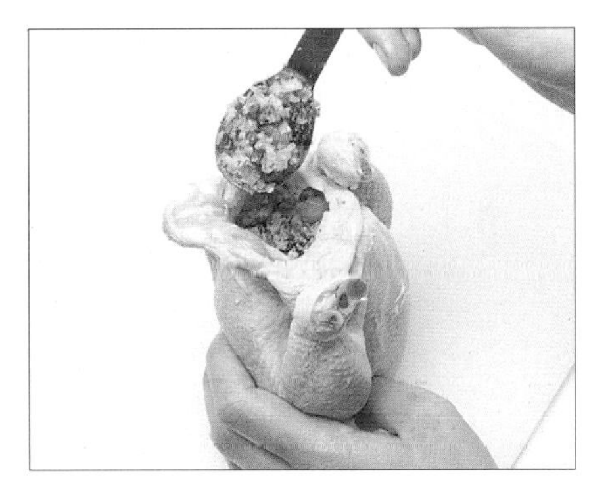

5 Farcissez l'intérieur de chaque coquelet, sans tasser. Attachez l'extrémité des cuisses pour bien maintenir la farce en place.

6 Beurrez les coquelets au pinceau avec le reste de beurre et disposez-les dans un petit plat à four. Arrosez de porto.

7 Rôtissez une heure environ, en arrosant de temps en temps avec les jus de cuisson. Servez immédiatement, arrosé d'une partie du jus.

Poulet « frit » au four

Le poulet n'est pas frit mais doré au four jusqu'à ce qu'il soit bien croustillant.

INGRÉDIENTS

Pour 4 personnes

4 gros morceaux de poulet
50 g/2 oz de farine
1/2 c. à café de sel
1/4 de c. à café de poivre
1 œuf
2 c. à soupe d'eau
2 c. à soupe de fines herbes hachées (persil, basilic et thym, par exemple)
65 g/2 1/2 oz de chapelure à base de pain sec
25 g/1 oz de parmesan râpé
quartiers de citron, pour servir

1 Préchauffez à 200°C/400°F/Th. 6 le four.

2 Rincez le poulet à l'eau froide et essuyez-le au papier absorbant.

3 Mélangez la farine, le sel et le poivre sur une assiette. Roulez-y le poulet sous toutes ses faces et secouez la farine en trop.

4 Humectez les morceaux de poulet avec quelques gouttes d'eau et repassez-les dans la farine.

5 Battez l'œuf avec l'eau dans une assiette creuse et ajoutez-y les herbes. Trempez les morceaux de poulet dans ce mélange en les retournant pour les enduire uniformément.

6 Mélangez la chapelure et le parmesan râpé dans une assiette. Roulez-y les morceaux de poulet en y mettant les doigts pour que la chapelure adhère bien.

7 Disposez les parts de poulet sur une tôle graissée assez grande pour les contenir toutes sans serrer. Enfournez et cuisez 20 à 30 min., jusqu'à ce que le poulet soit bien cuit et bien doré. Piquez avec une fourchette pour vérifier la cuisson : le jus ne doit pas être rose mais limpide. Servez chaud, avec des quartiers de citron.

Blancs de poulet « bronzés »

Des blancs de poulet « bronzés » par un habillage d'herbes et d'épices.

INGRÉDIENTS

Pour 6 personnes

6 blancs de poulet de taille moyenne, désossés et pelés
6 c. à soupe de beurre ou de margarine
1 c. à café de purée d'ail
4 c. à soupe d'oignon finement haché
1 c. à café de poivre de Cayenne
2 c. à café de paprika doux
1 1/2 c. à café de sel
1/2 c. à café de poivre blanc
1 c. à café de poivre noir
1/4 de c. à café de cumin en poudre
1 c. à café de thym séché

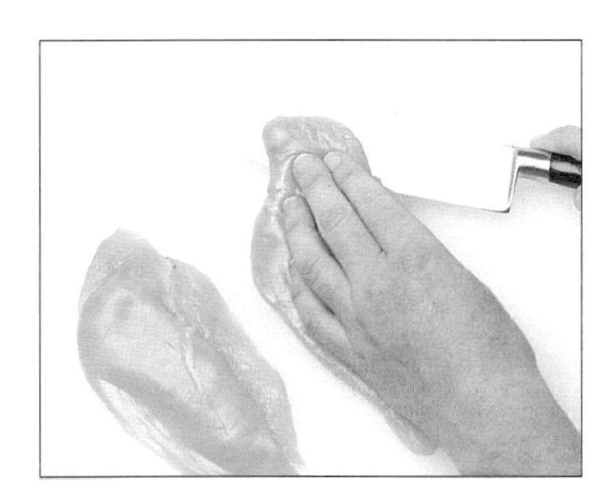

1 Divisez chaque blanc de poulet en deux, dans le sens de l'épaisseur. Aplatissez avec la paume de la main.

2 Faites fondre le beurre ou la margarine dans une petite casserole, avec la purée d'ail.

3 Mélangez le reste des ingrédients dans une jatte. Étalez le beurre fondu au pinceau sur les deux côtés des blancs, puis saupoudrez avec toutes les épices.

4 Chauffez une grande poêle à feu vif jusqu'à ce qu'elle grésille quand on y fait tomber une goutte d'eau. Cela prend entre 5 et 8 min.

5 Arrosez chaque blanc avec 1 c. à café de beurre fondu. Mettez les morceaux dans la poêle, par deux ou trois. Laissez rissoler 2 à 3 min., jusqu'à ce que le blanc commence à noircir. Retournez et faites rissoler 2 à 3 min. encore. Servez bien chaud.

Poulet tonnato

Dans cette version allégée d'une spécialité italienne, « vitello tonnato », de fines lanières de poivron rouge remplacent les anchois.

INGRÉDIENTS

Pour 4 personnes

450 g/1 lb de blancs de poulet, désossés et pelés
1 oignon de petite taille émincé
1 feuille de laurier
4 grains de poivre noir
350 ml/12 fl oz de bouillon de poulet
200 g/7 oz de thon en saumure en boîte, égoutté
5 c. à soupe de mayonnaise allégée
2 c. à soupe de jus de citron
2 poivrons rouges, épépinés et coupés en fines lamelles
environ 25 câpres, égouttées
une pincée de sel
salade verte avec des tomates, pour servir

1 Disposez les blancs côte à côte dans une grande sauteuse à fond épais. Ajoutez l'oignon, le laurier, les grains de poivre et le bouillon. Portez à ébullition, puis réduisez le feu. Couvrez et laissez mijoter à cœur 12 min. environ.

2 Éteignez, laissez le poulet refroidir dans le bouillon, puis sortez-le avec une cuillère-écumoire. Coupez les blancs en tranches épaisses et disposez-les sur un plat de service.

3 Portez le bouillon à ébullition et réduisez jusqu'à environ 5 c. à soupe. Tamisez fin et laissez refroidir.

4 Mixez le thon, la mayonnaise, le jus de citron, 3 c. à soupe de bouillon réduit et du sel en purée homogène.

5 Diluez cette purée avec ce qu'il faut comme bouillon pour obtenir une crème épaisse, et nappez le poulet à la cuillère.

6 Décorez le poulet et sa sauce avec les lanières de poivron disposées en croisillons, en ajoutant une câpre dans chaque losange. Laissez rafraîchir une heure au réfrigérateur et servez avec une salade composée de salade verte et de tomates.

Boulettes de poulet à la tomate

La chair de poulet hachée fait d'excellents plats familiaux, comme ici ces boulettes savoureuses.

INGRÉDIENTS

Pour 4 personnes

25 g/1 oz de pain de mie blanc, sans la croûte
2 c. à soupe de lait
1 gousse d'ail écrasée
1/2 c. à café de graines de carvi
225 g/8 oz de chair de poulet hachée
1 blanc d'œuf
350 ml/12 fl oz de bouillon de poulet
400 g/14 oz de tomates Roma en boîtes
1 c. à soupe de purée de tomate
90 g/3 1/2 oz de riz facile à cuire
sel et poivre noir
1 c. à soupe de basilic frais, haché, en garniture
rubans de courgette et de carotte, pour servir

1 Coupez le pain de mie en petits cubes et mettez-le dans un bol. Versez le lait dessus et laissez tremper 5 min.

2 Ajoutez l'ail, le carvi, la chair de poulet, le sel et le poivre fraîchement moulu. Mélangez bien le tout.

3 Battez le blanc en neige et incorporez-le, en deux fois, au mélange. Laissez rafraîchir 10 min. au réfrigérateur.

4 Mettez le bouillon, les tomates et la purée de tomate dans une grande casserole à fond épais et portez à ébullition.

5 Ajoutez le riz, remuez et cuisez à feu vif 5 min. environ. Réduisez le feu et laissez mijoter.

6 Pendant ce temps, formez 16 boulettes de chair de poulet. Glissez-les dans le bouillon à la tomate et laissez mijoter 8 à 10 min., ou jusqu'à ce que les boulettes et le riz soient cuits. Garnissez avec le basilic et servez avec des rubans de carotte et de courgette.

Poulet rôti au fenouil

En Italie, on le prépare avec du fenouil sauvage. Mais les fenouils cultivés lui conviennent aussi.

INGRÉDIENTS

Pour 4 à 5 personnes

1 poulet à rôtir de 1,6 kg/3 1/2 lb
1 oignon, coupé en quatre
100 ml/4 fl oz d'huile d'olive
2 fenouils de taille moyenne
1 gousse d'ail pelée
une pincée de noix de muscade râpée
3 à 4 tranches fines de pancetta ou de lard maigre
100 ml/4 fl oz de vin blanc sec
sel et poivre noir

1 Préchauffez le four à 180°C/350°F/Th. 5. Saupoudrez l'intérieur du poulet de sel et de poivre, et mettez-y l'oignon. Enduisez le poulet d'huile d'olive – environ 3 c. à soupe. Mettez dans un plat à feu.

2 Coupez la verdure des fenouils et hachez-la menu avec l'ail. Mettez dans un bol et ajoutez la noix de muscade, du sel et du poivre.

3 Saupoudrez le poulet avec ce mélange en tâchant de le faire adhérer à la peau huilée. Couvrez les blancs avec les tranches de pancetta ou de lard maigre, aspergez d'huile d'olive – 2 c. à soupe. Enfournez et rôtissez 30 min.

4 Pendant ce temps, cuisez les fenouils à l'eau ou à la vapeur pour qu'ils restent légèrement fermes. Enlevez-les du feu et coupez-les en quatre ou en six, dans le sens de la longueur. Après 30 min. de cuisson, sortez le poulet du four et arrosez-le avec l'huile du plat.

5 Disposez les fenouils autour du poulet et aspergez-les avec le reste d'huile. Versez environ la moitié du vin sur le poulet et remettez le plat au four.

6 Au bout de 30 min., arrosez encore le poulet de jus de cuisson et ajoutez le reste du vin. Cuisez encore 15 à 20 min. Piquez la cuisse avec une fourchette : si le jus est transparent, c'est cuit. Servez le poulet entouré des fenouils.

Poulet au jambon et au fromage

Ce savoureux mariage de jambon et de fromage s'inspire d'une spécialité d'Émilie-Romagne, où ce plat se prépare aussi avec du veau.

INGRÉDIENTS

Pour 4 personnes

4 petits blancs de poulet, désossés et pelés
farine assaisonnée de sel et de poivre noir fraîchement moulu
4 c. à soupe de beurre
3 à 4 feuilles de sauge fraîche
4 tranches minces de prosciutto crudo ou de jambon cuit, coupées en deux
50 g/4 oz de parmesan fraîchement râpé

1 Tranchez les blancs dans l'épaisseur pour faire deux filets plats ayant approximativement la même épaisseur. Roulez les filets dans la farine, enlevez l'excès.

2 Préchauffez le gril. Faites fondre le beurre dans une grande poêle et jetez-y les feuilles de sauge. Mettez les filets de poulet côte à côte et cuisez à feu modéré 15 min. jusqu'à ce qu'ils soient dorés des deux côtés, en retournant aussi souvent que nécessaire.

3 Enlevez du feu et disposez les filets dans un plat à feu ou sur la tôle du gril. Posez un morceau de jambon sur chaque filet et saupoudrez de parmesan. Laissez griller 3 à 4 min., jusqu'à ce que le fromage fonde. Servez immédiatement.

Poulet roulé

Vous pouvez le préparer la veille. Par ailleurs, il se congèle bien. Sortez-le du réfrigérateur une heure avant de servir.

INGRÉDIENTS

Pour 8 personnes

1 poulet de 2 kg/4 1/2 lb

Pour la farce

1 oignon de taille moyenne, finement émincé
4 c. à soupe de beurre fondu
350 g/12 oz de porc maigre haché
115 g/4 oz de lard, coupé en petits morceaux
1 c. à soupe de persil frais haché
2 c. à café de thym frais haché
115 g/4 oz de chapelure à base de pain blanc frais
2 c. à soupe de sherry
1 gros œuf battu
25 g/1 oz de pistaches décortiquées
25 g/1 oz d'olives noires dénoyautées (environ une douzaine)
sel et poivre noir

1 Pour la farce, faites mollir l'oignon à feu doux dans 2 c. à soupe de beurre. Mettez-le dans une jatte et laissez refroidir. Ajoutez les autres ingrédients en mélangeant bien, salez et poivrez.

2 Pour désosser le poulet, prenez un petit couteau bien aiguisé. Enlevez les ailerons, posez le poulet sur les blancs et incisez le long de la carcasse du dos.

3 Détachez la chair de la carcasse du dos en mettant l'os à nu. Sectionnez soigneusement les tendons de l'articulation du haut de cuisse et de l'aile. Râclez la chair pour dégager les os. Enlevez la carcasse en veillant à ne pas percer la peau, le long de l'os plat du dos.

4 Pour farcir le poulet, posez-le la peau au-dessous et aplatissez-le au maximum. Disposez la farce au milieu du poulet et repliez la chair par-dessus.

5 Refermez soigneusement en cousant avec une aiguille et du fil foncé. Arrangez en forme de rouleau avec de la ficelle.

6 Préchauffez le four à 180°C/350°F/Th. 5. Mettez le rouleau, couture en dessous, sur une grille ou dans un plat à feu, et enduisez-le du reste de beurre au pinceau. Cuisez 1 h 15, sans couvrir. Laissez refroidir. Enlevez le fil. Enveloppez dans du papier d'aluminium et gardez au frais jusqu'au moment de servir.

Poulet rôti traditionnel

Servez-le accompagné de lardons, de chipolatas, de boulettes de farce et de sauce à la farine et au poulet.

INGRÉDIENTS

Pour 4 personnes

1 poulet de 1,750 kg/4 lb
tranches de lard
2 c. à soupe de beurre
sel et poivre noir

Pour la farce aux pruneaux et aux noix

2 c. à soupe de beurre
50 g/2 oz de pruneaux dénoyautés et coupés en petits morceaux
50 g/2 oz de noix pilées
50 g/2 oz de chapelure à base de pain frais
1 œuf battu
1 c. à soupe de persil frais haché
1 c. à soupe de ciboulette hachée
2 c. à soupe de sherry ou de porto

Pour la sauce

2 c. à soupe de farine tamisée
300 ml/1/2 pinte de bouillon de poulet

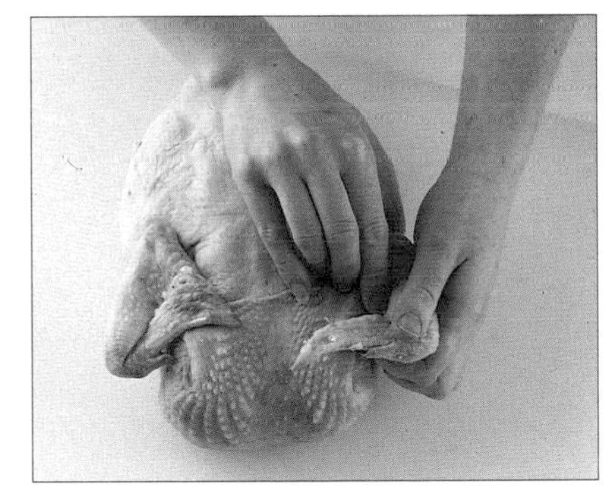

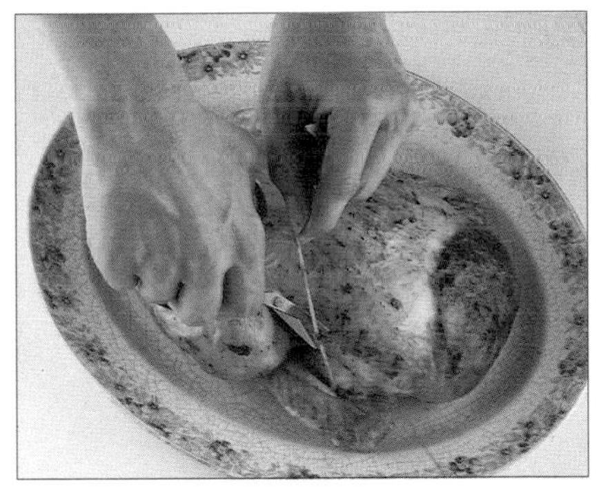

1 Préchauffez le four à 190°C/375°F/Th. 5. Mélangez les ingrédients de la farce dans un bol. Salez, poivrez.

2 Introduisez la farce côté cou, sans la tasser pour laisser la chapelure gonfler pendant la cuisson. (Le reste de farce peut servir à faire des boulettes qu'on sautera pour accompagner le poulet.)

3 Rabattez la peau du poulet sous les ailes pour bien enfermer la farce. Cousez au besoin.

4 Mettez le poulet dans un plat à feu en couvrant les blancs avec les tranches de lard. Beurrez la peau avec le reste du beurre, couvrez de papier d'aluminium sans fermer et laissez cuire 1 h 30 environ. Arrosez de jus trois ou quatre fois au cours de la cuisson.

5 Enlevez les ficelles et dressez le poulet sur un plat de service, couvrez avec du papier d'aluminium et laissez reposer pendant la confection de la sauce.

6 Dégraissez le jus récupéré dans le plat de cuisson, délayez-y la farine et cuisez à feu doux jusqu'à obtenir une couleur dorée. Ajoutez le bouillon, portez à ébullition en remuant pour qu'il épaississe. Rectifiez l'assaisonnement si nécessaire et versez dans une saucière en tamisant.

Poulet rôti au céleri-rave

Un poulet très parfumé, farci au céleri-rave, au lard, aux oignons et aux fines herbes.

INGRÉDIENTS

Pour 4 personnes

1 poulet de 1,6 kg/3 1/2 lb
15 g/1/2 oz de beurre

Pour la farce

450 g/1 lb de céleri-rave coupé en morceaux
2 c. à soupe de beurre
3 tranches de lard coupées en petits morceaux
1 oignon finement émincé
feuilles d'un brin de thym, hachées
feuilles d'une petite branche d'estragon, hachées
2 c. à soupe de persil frais haché
75 g/3 oz de chapelure à base de pain frais
une giclée de sauce Worcester
1 œuf
sel et poivre

1 Pour la farce, cuisez le céleri-rave à l'eau. Quand il est à point, c'est-à-dire tendre, égouttez et émincez finement.

2 Chauffez le beurre dans une casserole, faites doucement revenir le lard et l'oignon. Mélangez-y le céleri et les herbes et laissez cuire 2 à 3 min. en remuant de temps en temps. Préchauffez le four à 200°C/400°F/Th. 6.

3 Enlevez la casserole du feu et incorporez la chapelure, la sauce Worcester, du sel et du poivre et de l'œuf en quantité suffisante pour bien lier.

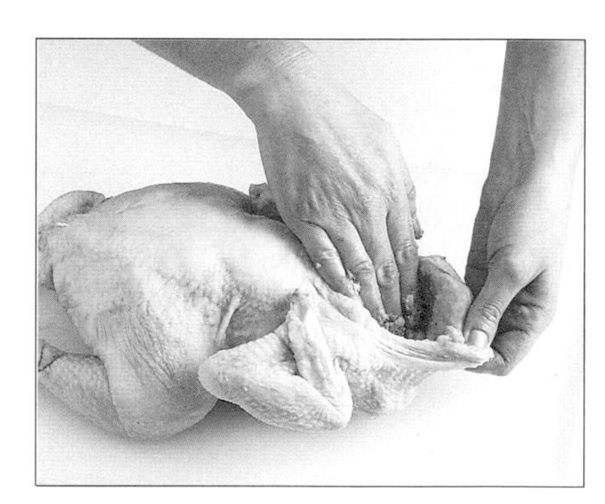

4 Introduisez la farce par le cou du poulet, salez, poivrez et beurrez la peau. Rôtissez de 1 h 15 à 1 h 30, en arrosant de temps en temps avec le jus de cuisson et jusqu'à ce que le jus coule clair quand on pique le haut de cuisse. Laissez reposer au chaud 10 min. avant de découper.

Coquelets aux raisins et au vermouth

Un plat original, idéal pour un dîner de fête entre amis.

INGRÉDIENTS

Pour 4 personnes

4 coquelets prêts à cuire d'environ 450 g/ 1 lb chaque
4 c. à soupe de beurre ramolli
2 échalotes émincées
4 c. à soupe de persil frais
225 g/8 oz de raisins blancs, de préférence muscat, les grains coupés en deux et épépinés
150 ml/¼ pinte de vermouth blanc
1 c. à café de Maïzena
4 c. à soupe de crème fraîche
2 c. à soupe de pignons grillés
sel et poivre noir
brins de cresson, pour garnir

1 Préchauffez le four à 200°C/ 400°F/Th. 6. Beurrez les coquelets sur toute la surface et mettez une noisette de beurre à l'intérieur.

2 Mélangez les échalotes et le persil et mettez un quart de ce mélange dans chaque coquelet. Disposez les volailles côte à côte dans un grand plat à feu et cuisez 40 à 50 min. (le jus doit être limpide). Dressez les coquelets sur un plat de service préchauffé, couvrez et gardez au chaud.

3 Dégraissez presque entièrement le jus du plat de cuisson et ajoutez-y les raisins et le vermouth. Mettez le plat à feu doux quelques minutes, afin de chauffer les raisins et de les ramollir légèrement.

4 Sortez les raisins du plat avec une cuillère-écumoire et éparpillez-les autour des coquelets. Gardez couvert. Délayez la Maïzena avec la crème et versez dans le plat avec le jus. Cuisez à feu doux quelques minutes, en remuant bien, jusqu'à épaississement de la sauce. Rectifiez l'assaisonnement au besoin.

5 Nappez les coquelets de sauce, saupoudrez de pignons grillés et garnissez de cresson.

Sauté de poulet aux mange-tout

Un poulet juteux sauté avec des mange-tout, des noix de cajou et des châtaignes d'eau.

INGRÉDIENTS

Pour 4 personnes

2 c. à soupe d'huile de sésame
6 c. à soupe de jus de citron
1 gousse d'ail écrasée
1 morceau de gingembre frais de 1 cm/ 1/2 po de long, pelé et râpé
1 c. à café de miel liquide
450 g/1 lb de blancs de poulet coupés en lamelles
115 g/4 oz de mange-tout épluchés
2 c. à soupe d'huile d'arachide
50 g/2 oz de noix de cajou
6 petits oignons coupés en lamelles
225 g/8 oz de châtaignes d'eau en boîte, égouttées et coupées en tranches fines
sel, riz au safran, pour servir

1 Mélangez l'huile de sésame, le jus de citron, l'ail, le gingembre et le miel dans un plat creux non-métallique. Mettez-y le poulet en mélangeant bien. Couvrez et laissez mariner 3 ou 4 heures au minimum.

2 Blanchissez les mange-tout à l'eau bouillante salée 1 min. Égouttez et rafraîchissez à l'eau froide sous le robinet.

3 Égouttez les lamelles de poulet et réservez la marinade. Chauffez l'huile d'arachide dans un wok ou une grande poêle et faites-y dorer les noix de cajou en remuant bien 1 à 2 min. Sortez-les avec une cuillère-écumoire et réservez.

4 Faites dorer le poulet en remuant bien 3 à 4 min. Ajoutez les petits oignons, les mange-tout, les châtaignes d'eau et la marinade réservée. Cuisez quelques minutes, jusqu'à ce que le poulet soit tendre et que la sauce frissonne et soit bien chaude. Incorporez les noix de cajou au mélange et servez accompagné de riz au safran.

Blancs de poulet farcis en sauce à la crème

Des blancs de poulet truffés d'une farce au poireau et au citron vert, nappés d'une sauce à la crème.

INGRÉDIENTS

Pour 4 personnes

4 gros blancs de poulet désossés et pelés
4 c. à soupe de beurre
3 gros poireaux (seulement le blanc et le vert pâle) coupés en fines lamelles
1 c. à café de zeste de citron râpé
250 ml/8 fl oz de bouillon de poulet ou moitié bouillon/moitié vin blanc sec
120 ml/4 fl oz de crème fraîche
1 c. à soupe de jus de citron vert
sel et poivre

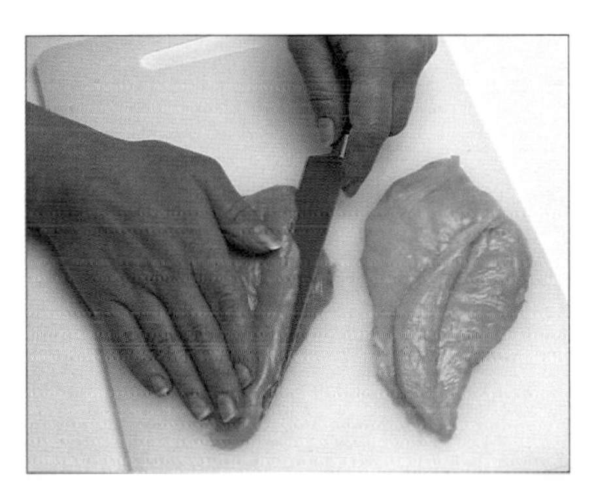

1 Entaillez les blancs dans leur partie la plus épaisse de façon à ouvrir une large poche profonde. Réservez-les.

2 Faites fondre la moitié du beurre à feu doux, dans une poêle à fond épais. Faites ramollir sans les brunir les poireaux et l'écorce de citron vert en remuant de temps en temps 15 à 20 min.

3 Versez les poireaux dans une jatte, salez, poivrez et laissez refroidir. Lavez et essuyez la poêle.

4 Répartissez les poireaux entre les blancs de poulet et remplissez bien les poches. Fermez avec des sticks à cocktail.

5 Faites fondre le reste du beurre à la poêle à feu assez vif et faites-y légèrement dorer les blancs farcis, des deux côtés.

6 Mouillez avec le bouillon et portez à ébullition. Couvrez et laissez mijoter 10 min. environ. Retournez les blancs avec précaution à un peu plus de la moitié du temps de cuisson.

7 Retirez les blancs de la poêle avec une écumoire et réservez au chaud. Portez le liquide de cuisson à ébullition et faites réduire de moitié.

8 Versez la crème dans ce liquide et faites de nouveau réduire de moitié. Ajoutez le jus de citron vert, le sel et le poivre.

9 Enlevez les sticks à cocktail. Coupez chaque blanc de poulet à l'oblique, en faisant des tranches de 1 cm/½ po d'épaisseur, nappez de sauce et servez.

VARIANTE

On peut faire des blancs farcis aux oignons en remplaçant les poireaux par deux oignons blancs coupés en fines lamelles.

Pâtes aux foies de poulet sauce piquante

Foies de poulet en sauce piquante, servis avec des pâtes.

INGRÉDIENTS

Pour 4 personnes

225 g/8 oz de foies de poulet, décongelés si l'on prend des surgelés
2 c. à soupe d'huile d'olive
2 gousses d'ail écrasées
175 g/6 oz d'échine de porc fumée, sans couenne, grossièrement coupée
400 g/14 oz de tomates en boîte, coupées en petits morceaux
150 ml/$^1/_4$ pinte de bouillon de poulet
1 c. à soupe de purée de tomate
1 c. à soupe de dry sherry (sherry blanc, sec)
2 c. à soupe de fines herbes fraîches, hachées (persil, romarin et basilic)
350 g/12 oz (poids sec) de pâtes orecchiette
sel et poivre noir
parmesan fraîchement râpé, pour servir

1 Lavez les foies de poulet. Coupez en morceaux de la taille d'une bouchée. Chauffez l'huile dans une sauteuse et faites revenir les foies 3 à 4 min.

2 Ajoutez l'ail et le bacon et laissez dorer. Mettez les tomates, le bouillon, le sherry, les fines herbes, salez et poivrez.

3 Portez à ébullition et laissez mijoter à feux doux environ 5 min., sans couvrir, jusqu'à ce que la sauce épaississe. Remuez de temps en temps.

4 Pendant ce temps, versez les pâtes dans de l'eau bouillante salée et cuisez 12 min., « al dente ». Égouttez, versez dans la sauce. Servez chaud, saupoudré de parmesan.

Poulet rôti en croûte de sel

Un plat original et très facile à réaliser. Une fois cuit, il ne reste qu'à casser la croûte de sel pour révéler un poulet parfaitement doré et délicieusement tendre.

INGRÉDIENTS

Pour 4 personnes

1 poulet de grain prêt-à-cuire de 1,5 kg/3 à $3^1/_2$ lb
1 bouquet de fines herbes variées : romarin, thym, marjolaine et persil, par exemple
environ 1,500kg/3 à $3^1/_2$ lb de gros sel de mer
1 blanc d'œuf
1 ou 2 têtes d'ail cuites au four, pour servir

1 Préchauffez le four à 180°C/ 350°F/Th. 5. Essuyez le poulet. Farcissez-le avec les herbes et bridez-le.

2 Mélangez le gros sel et le blanc d'œuf de façon à mouiller tous les grains de sel. Prenez un plat à feu de la taille du poulet et tapissez le fond d'une double épaisseur de papier d'aluminium, assez large pour la replier par-dessus le poulet.

3 Étalez une épaisse couche de sel dans le plat ainsi préparé et posez le poulet dessus. Couvrez le poulet avec le reste du sel en vous assurant qu'il est bien couvert partout.

4 Repliez les feuilles de papier d'aluminium par-dessus le poulet et cuisez au four 1 h 30. Retirez du four et laissez reposer 10 min.

5 Sortez le poulet toujours emballé et ouvrez les feuilles d'aluminium. Brisez la croûte de sel et débarrassez le poulet d'éventuels grains de sel restés attachés. Les têtes d'ail se dégustent sans leur peau accompagnant, chaque gousse une bouchée de poulet.

Risotto au poulet

Un plat complet, très commode à préparer, puisque tous les ingrédients cuisent dans la même cocotte.

INGRÉDIENTS

Pour 4 personnes

2 c. à soupe d'huile d'olive

225 g/8 oz de blancs de poulet désossés, pelés et coupés en cubes de 2,5 cm/1 po de côté.

1 oignon haché

1 gousse d'ail hachée fin

1/4 de c. à café de pistils de safran

50 g/2 oz de jambon de Parme coupé en fines lanières

450 g/1lb de riz à risotto, de préférence de l'arborio

120 ml/4 fl oz de vin blanc sec

1,75 litre/3 pintes de bouillon de poule en train de mijoter

2 c. à soupe de beurre (optionnel)

25 g/1 oz de parmesan fraîchement râpé

sel et poivre

1 Chauffez l'huile à feu assez vif, dans une cocotte à fond épais. Faites blanchir les cubes de poulet en remuant.

2 Mettez à petit feu et ajoutez l'oignon, l'ail, le safran et le jambon de Parme. Versez le riz, en mélangeant bien. Faites revenir 1 ou 2 min. en remuant de temps en temps.

3 Mouillez avec le vin et portez à ébullition. Laissez mijoter jusqu'à quasi-absorption du vin .

4 Versez le bouillon qui mijotait, louche par louche, et laissez cuire jusqu'à ce que le riz soit presque à point et le risotto crémeux.

5 Ajoutez le beurre (facultatif) et le parmesan en remuant bien. Salez, poivrez. Servez chaud, saupoudré de parmesan.

Cannelloni al forno

Une variante allégée de la version traditionnelle, farcie au bœuf et nappée de béchamel. Pour les végétariens, farcissez avec de la ricotta, des oignons et des champignons.

INGRÉDIENTS

Pour 4 à 6 personnes

450 g/1 lb de blancs de poulet désossés et pelés, déjà cuits
225 g/8 oz de champignons
2 gousses d'ail écrasées
2 c. à soupe de persil frais
1 c. à soupe d'estragon frais
1 œuf battu
jus de citron frais
12 à 18 tubes de cannelloni
475 ml/16 fl oz de sauce tomate du commerce
50 g/2 oz de parmesan fraîchement râpé
sel et poivre
1 brin de persil frais, en garniture

1 Préchauffez le four à 200°C/400°F/Th. 6. Passez le poulet au mixer ou dans un robot, hachez finement. Versez dans un bol.

2 Mettez les champignons, le persil et l'estragon dans le mixer et hachez menu.

3 Mélangez le poulet haché, les champignons et les herbes en battant à la fourchette. Ajoutez l'œuf, salez, poivrez et mettez le jus de citron et mélangez encore.

4 Cuisez les cannelloni en suivant les instructions du paquet, et égouttez-les soigneusement sur un torchon propre.

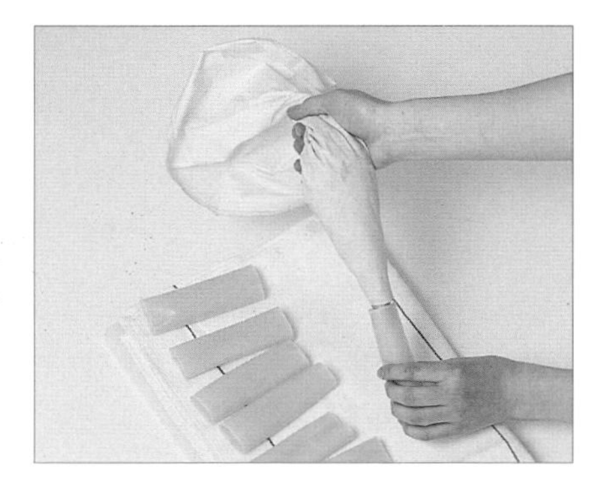

5 Mettez la farce dans une poche à grosse douille et remplissez-en les cannelloni dès qu'ils sont assez refroidis.

6 Rangez les cannelloni les uns contre les autres dans un plat à feu creux et beurré. Nappez de sauce tomate et saupoudrez de parmesan. Cuisez au four 30 min. ou le temps que le plat frissonne et soit doré. Garnissez avec un brin de persil pour servir.

Sandwich au poulet en mayonnaise au curry

Un moyen pratique et appétissant d'accommoder des restes de poulet froid.

INGRÉDIENTS

Pour 2 personnes

4 tranches de pain de mie complet avec des grains de céréales dedans
2 c. à soupe de beurre ramolli
115 g/4 oz de poulet froid, en fines lamelles
3 c. à soupe de mayonnaise au curry
1 botte de cresson nettoyée

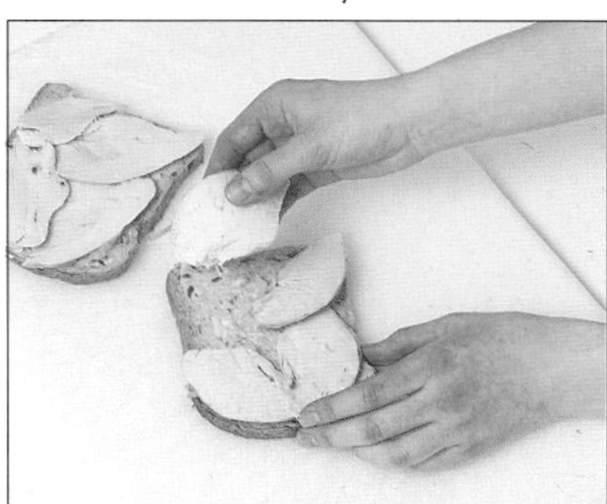

1 Beurrez le pain et disposez le poulet sur deux des tranches.

2 Étalez la mayonnaise au curry sur les tranches de poulet.

3 Disposez les feuilles de cresson par-dessus et couvrez avec les tranches beurrées, en appuyant légèrement. Coupez en deux.

MAYONNAISE AU CURRY

Pour environ 150 ml/5 fl oz

120 ml/4 fl oz de mayonnaise
2 c. à café de concentré de sauce au curry
1/2 c. à café de jus de citron
2 c. à café de confiture d'abricots

Mélangez tous les ingrédients et mettez à rafraîchir jusqu'au moment de servir.

Sandwich au poulet à l'orientale

Cette recette est également excellente avec du pain pitta chaud : dans ce cas, coupez le poulet en petits cubes avant de le laisser mariner, faites griller en brochettes et servez chaud.

INGRÉDIENTS

Pour 2 personnes

1 c. à soupe de sauce soja
1 c. à café de miel liquide
1 c. à café d'huile de sésame
1 gousse d'ail écrasée
175 g/6 oz de blanc de poulet désossé et pelé
4 tranches de pain blanc
4 c. à soupe de beurre de cacahuète
2 c. à soupe de pousses de soja
25 g/1 oz de poivron rouge, épépiné et coupé en fines lanières
2 brins de persil, pour garnir

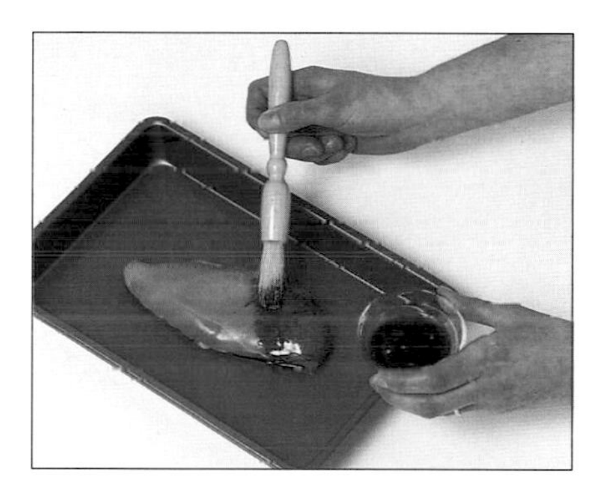

1 Mélangez la sauce soja, le miel, l'huile de sésame et l'ail. Enduisez-en le blanc de poulet.

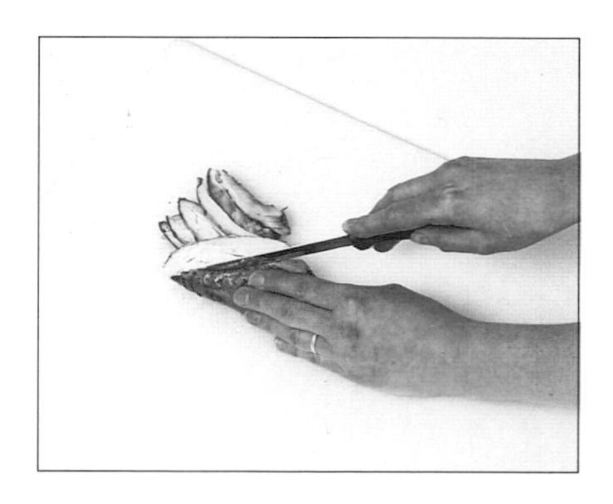

2 Mettez le poulet sous le gril 3 à 4 min. de chaque côté, jusqu'à cuisson complète. Coupez en tranches fines.

3 Tartinez deux tranches de pain avec du beurre de cacahuète.

4 Disposez les tranches de poulet sur le beurre de cacahuète.

5 Étalez un peu de beurre de cacahuète sur le poulet.

6 Saupoudrez de pousses de soja et de poivrons rouges, fermez le sandwich avec l'autre tranche de pain. Coupez en deux à votre gré.

Pizza au poulet et aux champignons « shiitake »

Cette pizza colorée marie la saveur terrienne des champignons « shiitake » au piquant du piment rouge frais.

INGRÉDIENTS

Pour 3 à 4 personnes

3 c. à soupe d'huile d'olive
350 g/12 oz de filets de blanc de poulet, pelés et coupés en lanières
1 botte de petits oignons émincés
1 piment rouge frais, épépiné et coupé fin
1 poivron rouge, épépiné et coupé en lanières
75 g/3 oz de champignons shiitake frais, essuyés et coupés en lamelles
3 à 4 c. à soupe de coriandre fraîche hachée
1 pâte à pizza prête à cuire d'environ 25 à 30 cm/10 à 12 po de diamètre
1 c. à soupe d'huile au piment
150 g/5 oz de mozarella
sel et poivre noir

1 Préchauffez à 220°C/425°F/Th. 7. Chauffez 2 c. à soupe d'huile d'olive dans un wok ou une grande poêle. Faites-y revenir 2 ou 3 min. à feu vif, en remuant bien, le poulet, les petits oignons, le piment, le poivron et les champignons (le poulet doit être ferme mais encore un peu rose à l'intérieur). Salez, poivrez.

2 Déversez l'excès d'huile, laissez refroidir le mélange et réservez-le.

3 Mélangez la coriandre au poulet.

4 Huilez la pâte à pizza au pinceau.

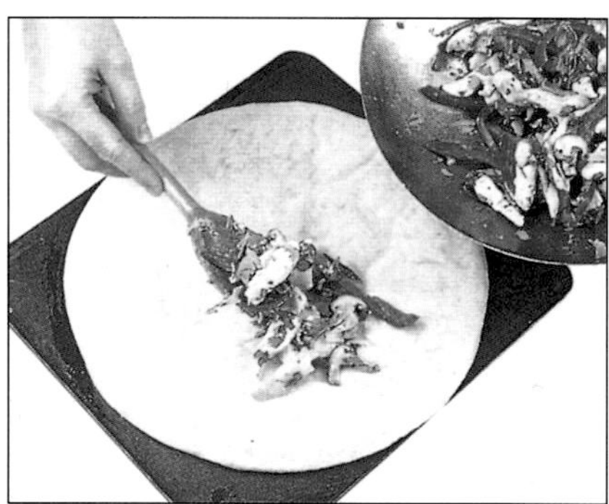

5 Tapissez la pâte de poulet. Aspergez avec le reste d'huile.

6 Râpez la mozzarella, saupoudrez-en la pizza. Cuisez 15 à 20 min. (la pizza doit être dorée et croustillante). Servez immédiatement.

Pizza au poulet fumé

Une parfaite harmonie d'ingrédients préside à cette pizza succulente.

INGRÉDIENTS

Pour 4 personnes

4 pâtes à pizza individuelles d'environ 13 cm/5 po de diamètre
3 c. à soupe d'huile d'olive
4 c. à soupe de purée de tomates séchées au soleil
2 poivrons jaunes, épépinés et coupés en fines lanières
175 g/6 oz de poulet fumé (ou de dinde fumée), coupé en petits morceaux
150 g/5 oz de mozzarella coupée en cubes
2 c. à soupe de basilic frais, haché
sel et poivre noir

1 Préchauffez le four à 220°C/425°F/Th. 7. Disposez les pâtes sur deux tôles différentes, en les espaçant bien.

2 Huilez-les au pinceau avec 1 c. à soupe d'huile, puis enduisez généreusement de purée de tomates.

3 Faites revenir les poivrons 3 à 4 min. dans la moitié de l'huile qui reste.

4 Dressez le poulet et les poivrons sur la purée de tomates.

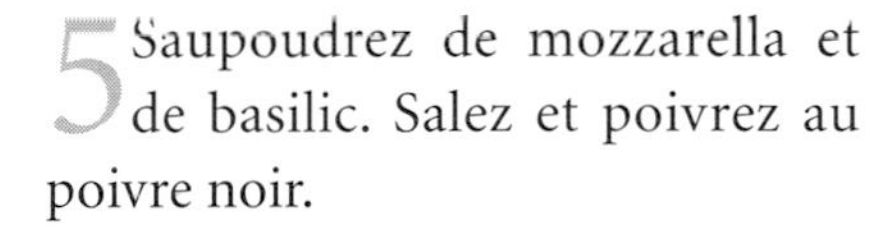

5 Saupoudrez de mozzarella et de basilic. Salez et poivrez au poivre noir.

6 Aspergez avec le reste d'huile et cuisez 15 à 20 min. au four jusqu'à ce que la pizza soit bien dorée et croustillante. Servez immédiatement.

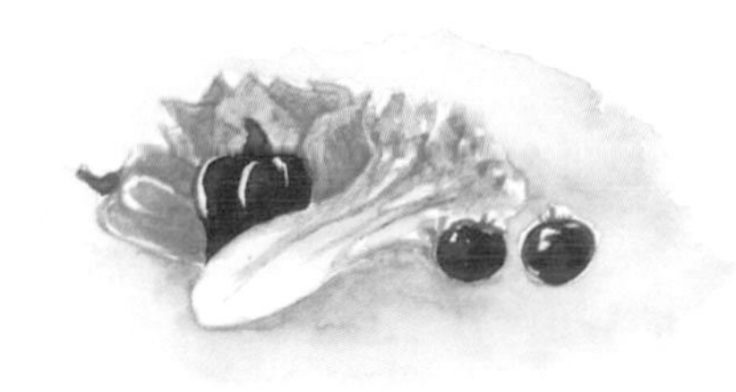

Pittas en pizzas au poulet et à l'avocat

Dans cette recette, les pittas (galettes de pain) servent de pâte express pour réaliser de savoureuses pizzas.

INGRÉDIENTS

Pour 4 personnes

8 tomates Roma, coupées en quatre
3 à 4 c. à soupe d'huile d'olive
1 gros avocat bien mûr
8 pittas ronds
6 à 7 tranches de poulet froid, coupées en petits morceaux
1 oignon coupé en fines lamelles
275 g/10 oz de cheddar râpé
2 c. à soupe de coriandre fraîche, hachée
sel et poivre

1 Préchauffez le four à 230°C/450°F/Th. 7.

2 Disposez les tomates dans un plat à feu, aspergez de 1 c. à soupe d'huile, salez et poivrez. Cuisez au four 30 min.

3 Sortez le plat du four et écrasez les tomates à la fourchette, en enlevant les peaux au fur et à mesure. Réservez.

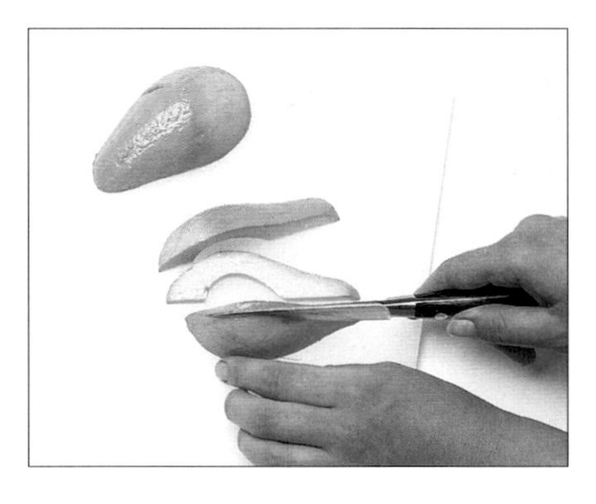

4 Pelez et dénoyautez l'avocat. Coupez en 16 tranches fines.

5 Huilez le tour des pittas au pinceau et disposez-les sur deux tôles différentes.

6 Tartinez chaque pitta de tomate écrasée, presque jusqu'au bord.

7 Ajoutez à chaque pitta deux tranches d'avocat, du poulet et quelques lamelles d'oignon. Saupoudrez de fromage.

8 Enfournez la première tôle à mi-hauteur du four et cuisez jusqu'à ce que le fromage commence à fondre, soit 15 à 20 min. Saupoudrez avec la moitié de la coriandre et servez. Pendant ce temps, enfournez la deuxième tournée de pittas, cuisez et servez.

Grillade de poulet avec salade de tomates et maïs

Cette salade de tomates pimentée fait un excellent accompagnement pour viandes grillées ou au barbecue.

INGRÉDIENTS

Pour 4 personnes

4 demi-blancs de poulet, d'environ 175 g/6 oz chaque, désossés et pelés
2 c. à soupe de jus de citron frais
2 c. à soupe d'huile d'olive
1 c. à café de cumin en poudre
1 c. à café d'origan séché
1 c. à soupe de poivre noir moulu gros, sel

Pour la salade

1 piment frais, vert
450 g/1 lb de tomates, épépinées, en petits morceaux
250 g/9 oz de maïs frais (cuit), ou décongelé
3 petits oignons, émincés
1 c. à soupe de persil frais haché
2 c. à soupe de coriandre fraîche hachée
2 c. à soupe de jus de citron frais
3 c. à soupe d'huile d'olive
1 c. à café de sel

1 Avec un maillet à viande, aplatissez les blancs de poulet entre deux couches de film transparent.

2 Mélangez dans un plat creux le jus de citron, l'huile, le cumin, l'origan et le poivre.

3 Ajoutez le poulet, en le retournant pour bien l'enduire. Couvrez et laissez reposer au moins 2 h, ou gardez au frais une nuit.

4 Pour la salade, brûlez la peau du piment à la flamme du gaz ou sous le gril. Laissez refroidir 5 min. Avec des gants de caoutchouc, frottez le piment pour ôter la peau brûlée. Épépinez si vous aimez moins relevé.

5 Ciselez le piment et mettez-le dans un bol avec le reste des ingrédients de la salade. Mélangez.

6 Sortez le poulet de sa marinade. Salez, poivrez légèrement.

7 Chauffez un gril en fonte, posez-y les blancs et laissez-les dorer – environ 3 min. Retournez et faites griller l'autre côté 3 à 4 min. Servez avec la salade.

Sauté de cuisses de poulet au miel

Ce plat offre un contraste intéressant entre la saveur douce du miel et les notes fortes du citron et de la sauce soja.

INGRÉDIENTS

Pour 4 personnes

115 g/4 oz de miel liquide
jus d'un citron
2 c. à soupe de sauce de soja
1 c. à soupe de graines de sésame
$^{1}/_{2}$ c. à café de feuilles de thym frais ou séché
12 cuisses de poulet (pilons)
$^{1}/_{2}$ c. à café de sel
$^{1}/_{2}$ c. à café de poivre
80 g/$3^{1}/_{4}$ oz de farine
3 c. à soupe de beurre ou de margarine
3 c. à soupe d'huile végétale
120 ml/4 fl oz de vin blanc
120 ml/4 fl oz de bouillon de poulet

1 Mélangez le miel, le jus de citron, la sauce soja, les graines de sésame et le thym dans une grande jatte. Enduisez les cuisses de poulet de ce mélange. Laissez mariner 2 heures ou plus dans un endroit frais, en retournant le poulet de temps en temps.

2 Mélangez le sel, le poivre et la farine dans une assiette creuse. Sortez les cuisses de poulet en les égouttant, réservez la marinade. Roulez les cuisses dans la farine.

3 Chauffez le beurre ou la margarine avec l'huile dans une grande poêle. Quand la graisse est chaude et crépite, mettez-y les cuisses et faites-les dorer de tous les côtés. Réduisez le feu à une allure modérée et continuez la cuisson 12 à 15 min., jusqu'à ce que le poulet soit cuit.

4 Vérifiez la cuisson en piquant les cuisses à la fourchette : le jus qui sort doit être limpide. Dressez les cuisses de poulet sur un plat de service à garder au chaud.

5 Videz la majeure partie de l'huile qui se trouve dans la poêle. Versez le vin, le bouillon et la marinade réservée et remuez pour détacher les jus de cuisson qui ont attaché à la poêle. Portez à ébullition et laissez mijoter jusqu'à ce que le liquide ait réduit de moitié. Rectifiez l'assaisonnement si besoin et nappez les cuisses de poulet de sauce. Servez.

Sauté de foies de poulet

Le jus de citron, le persil et l'ail qu'on ajoute avant de servir donnent à ce plat une saveur fraîche et de riches arômes.

INGRÉDIENTS

Pour 4 personnes

500 g/1 1/4 lb de foies de poulet
6 c. à soupe de beurre
175 g/6 oz de mousserons
50 g/2 oz de chanterelles
3 gousses d'ail hachées fin
2 échalotes hachées fin
150 ml/1/4 pinte de sherry doux
3 brins de romarin frais
zeste d'un citron, râpé
2 c. à soupe de persil frais haché
sel et poivre noir fraîchement moulu
brins de romarin, pour garnir
4 tranches épaisses de pain grillé

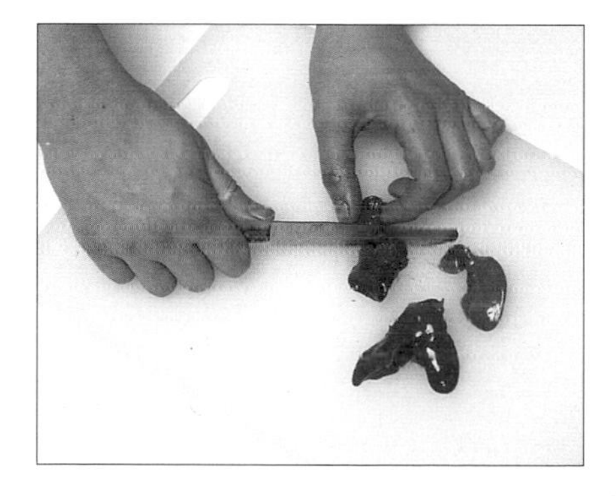

1 Nettoyez les foies de poulet en ôtant les parties décolorées, du muscle ou du cartilage.

2 Salez et poivrez généreusement les foies en les retournant bien pour qu'il y en ait partout.

3 Chauffez un wok ou une poêle et jetez-y 1 c. à soupe de beurre. Faites-y revenir les foies très rapidement, en plusieurs fournées (en rajoutant du beurre si nécessaire mais en réservant 2 c. à soupe pour les légumes). Quand les foies sont dorés, retirez-les à la cuillère-écumoire, mettez-les sur un plat à garder au chaud à four très doux.

4 Coupez les champignons en tranches épaisses. Si les chanterelles sont grosses, coupez-les en deux.

5 Chauffez le wok, jetez-y le reste du beurre et faites revenir les 2/3 de l'ail et les échalotes 1 min. Quand ils sont dorés, ajoutez les champignons et faites revenir 2 min. encore.

6 Versez le sherry, portez à ébullition et laissez mijoter 2 à 3 min. pour obtenir un sirop. Ajoutez le romarin, salez, poivrez, et faites revenir les foies 1 min. Garnissez de romarin et saupoudrez avec un mélange de citron, de persil et le reste de l'ail haché. Servez avec des tranches de toast.

PLATS UNIQUES

~

Nasi goreng

Ce plat originaire d'Indonésie est facile à décliner de différentes manières, selon les ingrédients cuits dont on dispose. Les chips chinoises aux crevettes font un excellent accompagnement.

INGRÉDIENTS

Pour 4 personnes

225 g/8 oz de riz long grain
2 œufs
2 c. à soupe d'huile végétale
1 piment vert
2 petits oignons grossièrement hachés
2 gousses d'ail écrasées
225 g/8 oz de poulet froid
225 g/8 oz de crevettes cuites
3 c. à soupe de sauce de soja
chips chinoises aux crevettes, pour servir

1 Rincez le riz et cuisez 10 à 12 min. dans 475 ml/16 fl oz d'eau froide, dans une casserole à couvercle fermant bien. Quand le riz est cuit, passez-le sous le robinet d'eau froide.

2 Battez légèrement deux œufs. Chauffez 1 c. à soupe d'huile dans une petite poêle et versez-y l'œuf en imprimant un léger mouvement de rotation à la poêle. Quand l'œuf est cuit d'un côté, retournez et finissez la cuisson. Sortez de la poêle et laissez refroidir. Coupez en fines lamelles.

3 Épépinez soigneusement le piment et hachez-le fin (utilisez des gants de caoutchouc, au besoin). Mettez les petits oignons, le piment et l'ail dans un mixer ou un robot et réduisez en purée.

4 Chauffez le wok, versez l'huile qui reste et, quand elle est bien chaude, faites revenir la purée de piment pendant 1 min.

5 Ajoutez le poulet et les crevettes en mélangeant bien avec le piment.

6 Mettez le riz dans le wok et faites revenir 3 à 4 min. Versez la sauce soja et mélangez. Servez avec des chips chinoises aux crevettes.

Poulet aux vermicelles de riz

Un plat délicieux et nourrissant. Attention en faisant sauter les vermicelles : ils ont tendance à faire des projections d'huile chaude.

INGRÉDIENTS

Pour 4 personnes

120 ml/4 fl oz d'huile végétale
225 g/8 oz de vermicelles de riz
150 g/5 oz de haricots verts épluchés et coupés en deux
1 oignon haché fin
2 blancs de poulet de 175 g/6 oz chaque, désossés, pelés et coupés en lamelles
1 c. à café de piment en poudre
225 g/8 oz de crevettes cuites
3 c. à soupe de sauce soja
3 c. à soupe de vinaigre de vin blanc
2 c. à café de sucre cristallisé
brins de coriandre fraîche, pour garnir

1 Chauffez un wok ou une poêle, versez 60 ml/4 oz d'huile. Brisez les vermicelles de façon à ce qu'ils aient 7,5 cm/3 po de long. Quand l'huile est bien chaude, faites sauter les vermicelles en plusieurs fournées. Retirez du feu et réservez au chaud.

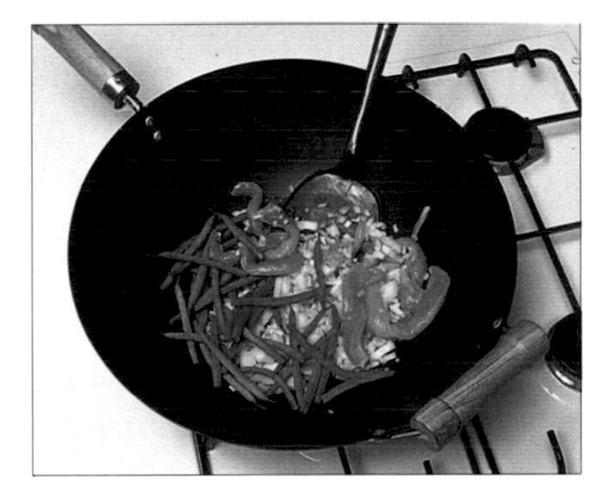

2 Chauffez le reste de l'huile et faites revenir ensemble les haricots verts, l'oignon haché et le poulet 3 min., le temps que le poulet soit cuit.

3 Saupoudrez de piment en poudre et incorporez les crevettes, le vinaigre et le sucre. Faites revenir en remuant 2 min.

4 Servez le poulet, les crevettes et les légumes sur les vermicelles sautés et garnissez de brins de coriandre fraîche.

Poulet à l'italienne

Les tomates séchées au soleil et le pistou se marient ici délicieusement

INGRÉDIENTS

Pour 4 personnes

2 c. à soupe de farine
4 portions de poulet (quarts ou blancs), pelé
2 c. à soupe d'huile d'olive
1 oignon haché
2 gousses d'ail écrasées
1 poivron rouge, épépiné et émincé
400 g/14 oz de tomates en boîte, coupées en morceaux
2 c. à soupe de sauce au pistou préparée
4 tomates séchées au soleil, à l'huile, coupées en morceaux
1/4 de pinte de bouillon de poulet
1 c. à café d'origan séché
8 olives noires dénoyautées
sel et poivre noir
basilic frais haché et quelques feuilles de basilic pour garnir
tagliatelles, pour servir

1 Mettez la farine, le sel et le poivre dans un sac plastique, ajoutez-y les morceaux de poulet et secouez jusqu'à ce qu'ils soient bien enfarinés. Chauffez l'huile dans une cocotte et faites-y dorer le poulet à feu vif. Retirez de la cocotte avec une cuillère et réservez.

2 Réduisez la chaleur et faites revenir l'oignon, l'ail et le poivron rouge dans la cocotte 5 min.

3 Ajoutez le reste des ingrédients, sauf les olives, et portez à ébullition. Remettez le poulet dans la cocotte, salez et poivrez légèrement, couvrez et laissez mijoter 30 à 35 min., ou le temps que le poulet soit bien cuit.

4 Ajoutez les olives et laissez mijoter 5 min. Versez dans un plat de service préchauffé, saupoudrez de basilic haché et garnissez avec quelques feuilles de basilic.

Poulet glacé au miel et à l'orange

Cette recette est très appréciée aux États-Unis, en Australie et en Grande-Bretagne. Facile à préparer, elle convient à un dîner tout simple, servi avec des pommes de terre au four et une salade.

INGRÉDIENTS

Pour 4 personnes

4 blancs de poulet désossés de 175 g/6 oz
1 c. à soupe d'huile
4 petits oignons hachés
1 gousse d'ail écrasée
3 c. à soupe de miel liquide
4 c. à soupe de jus d'orange fraîchement pressée
1 orange pelée, en quartiers
2 c. à soupe de sauce soja
citronnelle fraîche ou persil à feuille plate, pour décorer
pommes de terre au four et salade composée, pour servir

1 Préchauffez le four à 190°C/375°F/Th. 5. Disposez les blancs de poulet dans un plat à feu creux et réservez.

2 Chauffez l'huile dans une petite casserole et faites s'attendrir les oignons et l'ail 2 min. Ajoutez le miel liquide, le jus d'orange, les quartiers d'orange et la sauce soja en remuant bien pour dissoudre le miel complètement.

3 Versez le mélange sur le poulet et cuisez 45 min. environ, sans couvrir, en arrosant une ou deux fois avec la sauce au miel. La cuisson terminée, garnissez avec la citronnelle ou le persil et servez le poulet avec sa sauce.

Riz de Louisiane

Un plat riche en goût, à base de porc, de riz, de foie de poulet, avec une grande variété d'épices.

INGRÉDIENTS

Pour 4 personnes

4 c. à soupe d'huile végétale
1 petite aubergine coupée en dés
225 g/8 oz de chair de porc hachée
1 poivron vert, épépiné, en petits morceaux
2 branches de céleri, en fines tranches
1 oignon haché
1 gousse d'ail écrasée
1 c. à café de poivre de Cayenne
1 c. à café de paprika
1 c. à café de poivre noir
1/2 c. à café de sel
1 c. à café de thym séché
1/2 c. à café d'origan séché
475 ml/16 fl oz de bouillon de poulet
225 g/8 oz de foies de poulet haché
150 g/5 oz de riz à grains long
1 feuille de laurier
3 c. à soupe de persil frais haché
feuilles de céleri, pour garnir

1 Chauffez l'huile très fort dans une poêle et faites-y revenir l'aubergine en remuant constamment 5 min.

2 Ajoutez le porc et faites dorer 6 à 8 min. Brisez les morceaux avec une cuillère en bois.

3 Ajoutez le poivron, le céleri, l'oignon, l'ail, les épices et les herbes. Couvrez et laissez cuire à feu vif 5 à 6 min. en remuant sans cesse pour décoller les morceaux de grillé croquants et les répartir dans le mélange.

4 Mouillez avec le bouillon de poulet en remuant bien pour déglacer. Couvrez et laissez cuire 6 min. à feu modéré. Ajoutez les foies de poulet et cuisez 2 min. avant d'incorporer le riz et de mettre la feuille de laurier.

5 Réduisez le feu, couvrez et laissez mijoter 6 à 7 min. Éteignez et laissez reposer 10 à 15 min., le temps que le riz soit bien cuit. Enlevez la feuille de laurier et ajoutez le persil haché. Servez chaud, garni de feuilles de céleri.

Riz sauté spécial à la chinoise

Le riz sauté avec toutes sortes d'ingrédients est un plat de base de la cuisine chinoise. Dans cette recette, le riz sauté s'enrichit d'un mélange de poulet, de crevettes et de légumes.

INGRÉDIENTS

Pour 4 personnes

175 g/6 oz de riz long grain, blanc
3 c. à soupe d'huile d'arachide
1 gousse d'ail écrasée
4 petits oignons hachés fin
115 g/4 oz de poulet froid, coupé en dés
115 g/4 oz de crevettes cuites, décortiquées (rincées si elles sont en boîte)
50 g/2 oz de petits pois surgelés
1 œuf battu avec une pincée de sel
50 g/2 oz de laitue coupée en fines lanières
2 c. à soupe de sauce soja
une pincée de sucre cristallisé
sel et poivre noir
1c. à soupe de noix de cajou grillées

1 Rincez le riz à l'eau chaude deux, trois fois pour ôter une partie de l'amidon. Égouttez.

2 Mettez-le dans une casserole, versez 1 c. à soupe d'huile et 350 ml/12 fl oz d'eau. Couvrez et portez à ébullition, remuez une fois, couvrez de nouveau et laissez mijoter 12 à 15 min. jusqu'à ce que l'eau soit presque totalement absorbée. Éteignez et laissez reposer 10 min., toujours à couvert. Séparez un peu les grains à la fourchette et laissez refroidir.

3 Chauffez le reste de l'huile dans un wok ou une poêle et faites revenir l'ail et les petits oignons 30 secondes.

4 Ajoutez le poulet, les crevettes et les petits pois et faites revenir 1 à 2 min. en remuant bien. Ajoutez le riz cuit et faites revenir 2 min., toujours en remuant. Versez l'œuf battu et continuez à faire revenir en remuant, jusqu'à ce que l'œuf soit cuit. Ajoutez la laitue, la sauce soja, le sucre, le sel et le poivre.

5 Versez dans un plat de service préchauffé, saupoudrez de noix de cajou grillées et servez immédiatement.

Poulet teriyaki

Un simple riz nature sera parfait pour accompagner ce plat japonais.

INGRÉDIENTS

Pour 4 personnes

450 g/1 lb de blancs de poulet désossés et pelés

quartiers d'orange, feuilles de moutarde et cresson, pour servir

Pour la marinade

1 c. à café de sucre

1 c. à soupe d'alcool de riz

1 c. à soupe de sherry sec (blanc)

2 c. à soupe de sauce soja

zeste d'une orange râpé

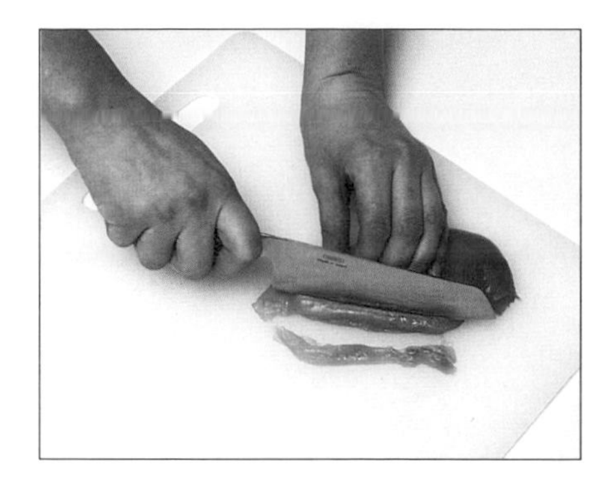

1 Coupez les blancs en lamelles fines. Mélangez les ingrédients de la marinade dans un bol.

2 Mettez le poulet dans une jatte, versez la marinade et laissez mariner 15 min.

3 Chauffez un wok ou une grosse poêle à frire, mettez-y le poulet et la marinade, et faites revenir 4 à 5 min. Servez avec les quartiers d'orange, la moutarde et le cresson.

ASTUCE

Veillez à faire bouillir la marinade et à la laisser cuire 4 à 5 min. parce qu'elle a été en contact avec du poulet cru.

Nouilles sautées à la thaïlandaise

Du porc, du poulet et du poisson, avec des nouilles et du citron vert.

INGRÉDIENTS

Pour 4 personnes

225 g/8 oz de petites nouilles rondes aux œufs (pas des pâtes plates)
4 c. à soupe d'huile végétale
2 gousses d'ail hachées fin
175 g/6 oz de filet de porc, coupé
1 blanc de poulet d'environ 175 g/6 oz, désossé, pelé, et coupé en fines lamelles
115 g/4 oz de crevettes cuites décortiquées
3 c. à soupe de jus de citron vert
3 c. à soupe de sauce de poisson à la vietnamienne
2 c. à soupe de cassonade
2 œufs battus
1/2 piment rouge épépiné et coupé fin
50 g/2 oz de pousses de soja
4 c. à soupe de cacahuètes grillées, pilées
3 petits oignons coupés en morceaux de 5 cm/2 po de long tranchés
3 c. à soupe de coriandre fraîche

1 Cuisez 5 min. les nouilles dans une grande casserole d'eau bouillante.

2 Pendant ce temps, chauffez 3 c. à soupe d'huile dans un wok ou une grande poêle et faites revenir l'ail 30 secondes, puis le porc et le poulet, à feu très vif en remuant, puis les crevettes 2 min. en remuant.

3 Versez le jus de citron vert ou de citron, la sauce de poisson et le sucre, et faites revenir en remuant, jusqu'à dissolution du sucre.

4 Egouttez les nouilles et versez dans la poêle avec le reste de l'huile, soit 1 c. à soupe. Retournez pour bien mélanger tous les ingrédients.

5 Versez l'œuf battu, cuisez-le en remuant puis ajoutez le piment et les pousses de soja. Puis la moitié des cacahuètes, des petits oignons et de la coriandre. Faites revenir en tournant 2 min., versez dans un plat en saupoudrant avec le reste des cacahuètes, des petits oignons et de la coriandre. Servez.

Poulet et crevettes à la jambalaya

Bien que le mélange de poulet, de fruits de mer et de riz suggère une parenté avec la paella espagnole, le nom de ce plat vient vraisemblablement du français « jambon » et du créole « à la ya » (ya signifiant riz). Les « jambalayas », plantureux mélanges, colorés et riches en goût, conviennent aux grands repas de famille ou pour les fêtes.

INGRÉDIENTS

Pour 10 personnes

2 poulets de 1,5 kg/3 lb
450 g/1 lb de porc fumé, cru
4 c. à soupe de saindoux ou de graisse de lard
50 g/2 oz de farine
3 oignons de taille moyenne coupés fin
2 poivrons verts, épépinés et coupés en lamelles
675 g/1 1/2 lb de tomates pelées et coupées en petits morceaux
2 à 3 gousses d'ail écrasées
2 c. à café de thym frais haché ou 1 c. à café de thym séché
24 crevettes roses cuites, étêtées et décortiquées
500 g/1 1/4 lb de riz américain long grain
2 à 3 giclées de sauce Tabasco
1 botte de petits oignons coupés fin (y compris le vert)
3 c. à soupe de persil frais haché
sel et poivre noir

ASTUCE

L'épaississement de la sauce avec un roux est très important en cuisine cajun, en particulier pour le jambalaya. Faites le roux à feu doux en veillant très attentivement à ce que n'apparaisse aucune zone foncée, signe que le roux brûle. Ne cessez pas de remuer un seul instant.

1 Découpez chaque poulet en 10 morceaux, salez et poivrez.

2 Coupez le porc fumé en dés, enlevez la couenne et la graisse.

3 Dans une grosse cocotte à fond épais, faites fondre le saindoux ou la graisse de lard et faites-y dorer les portions de poulet de tous les côtés. Sortez les morceaux à la cuillère-écumoire, au fur et à mesure qu'ils sont sautés, et réservez.

4 Réduisez le feu, saupoudrez la farine sur la graisse en remuant continuellement jusqu'à ce que le roux commence à dorer (lire l'astuce au bas de la première colonne).

5 Remettez le poulet dans la cocotte, ajoutez le porc, les oignons, les poivrons verts, les tomates, l'ail et le thym et faites revenir 10 min. en remuant à intervalles réguliers, puis mettez les crevettes.

6 Versez le riz cru dans la cocotte, avec une fois et demie son volume d'eau froide. Assaisonnez avec du sel, du poivre et la sauce Tabasco. Portez à ébullition et cuisez à feu doux jusqu'à ce que tout le liquide soit absorbé. Si le riz semble se dessécher avant d'être cuit, ajoutez un peu d'eau bouillante.

7 La cuisson terminée, ajoutez les petits oignons et le persil, en en réservant une partie pour garnir le jambalaya. Servez bien chaud.

Poulet à la bourguignonne

Un classique, parfait pour les dîners entre amis, arrosé d'une bonne bouteille.

INGRÉDIENTS

Pour 4 personnes

4 c. à soupe de farine
1 poulet de 1,500 kg/3 lb, coupé en huit morceaux
1 c. à soupe d'huile d'olive
5 c. à soupe de beurre
20 oignons miniatures
tranche de lard de 75 g/3 oz, sans couenne et coupée en petits morceaux
20 petits champignons de Paris
75 cl de vin de Bourgogne rouge
bouquet garni
3 gousses d'ail
1 c. à café de cassonade
sel et poivre noir
1 c. à soupe de persil frais haché et des croûtons, pour garnir

1 Mettez 3 c. à soupe de farine dans un grand sac en plastique, avec le sel et le poivre, plongez-y un morceau de poulet et secouez jusqu'à ce qu'il soit légèrement fariné. Répétez l'opération pour chaque morceau. Chauffez l'huile et 4 c. à soupe de beurre dans une grande cocotte. Ajoutez les oignons et le lard et faites dorer légèrement 3 à 4 min. Ajoutez les champignons, faites sauter 2 min. Sortez les oignons, le lard et les champignons avec une cuillère-écumoire et réservez dans une jatte.

2 Faites sauter les morceaux de poulet dans l'huile chaude 5 à 6 min., en les dorant bien de tous les côtés. Mouillez avec le bourgogne, ajoutez le bouquet garni, l'ail, la cassonade, le sel et le poivre.

3 Portez à ébullition, couvrez et laissez mijoter 1 heure en remuant de temps en temps.

4 Remettez dans la cocotte les oignons, le lard et les champignons réservés, couvrez et laissez cuire 30 min.

5 Sortez le poulet cuit, les légumes et le lard à l'écumoire et disposez-les sur un plat préchauffé. Retirez le bouquet garni, portez le liquide à ébullition et laissez bouillir 2 min. pour le faire réduire un peu. Pour épaissir un peu la sauce, mélangez le reste de la farine et du beurre pour en faire une crème, et ajoutez-la par cuillerées au liquide, en remuant avec un fouet. Versez la sauce sur le poulet, garni de persil et de croûtons.

Poulet aux abricots en cocotte

Un poulet fruité, légèrement relevé par une pointe de curry, et servi avec du riz aux amandes. Un excellent repas pour un jour d'hiver.

INGRÉDIENTS

Pour 4 personnes

1 c. à soupe d'huile.
8 hauts de cuisses de poulet désossés et pelés
1 oignon de taille moyenne haché fin
1 c. à café de poudre de curry (modérément épicé)
2 c. à soupe de farine
450 ml/3/4 pinte de bouillon de poulet
jus d'une grande orange
8 abricots secs, coupés en deux
1 c. à soupe de sultanines
sel et poivre noir fraîchement moulu

Pour le riz aux amandes

225 g/8 oz de riz long grain cuit
1 c. à soupe de beurre
50 g/2 oz d'amandes effilées et grillées

1 Préchauffez le four à 190°C/ 375°F/Th. 5. Chauffez l'huile dans une grande poêle. Coupez le poulet en cubes et faites-le bien dorer de tous les côtés, à feu vif. Ajoutez l'oignon et laissez cuire à feu doux jusqu'à ce qu'il ramollisse et commence à dorer.

2 Versez le poulet et l'oignon dans une grande cocotte, saupoudrez de poudre de curry et laissez cuire quelques min. Ajoutez la farine et délayez avec le bouillon, salez et poivrez.

3 Ajoutez les abricots et les sultanines, couvrez et laissez cuire au four une heure. Rectifiez l'assaisonnement au besoin.

4 Pour le riz aux amandes : faites fondre le beurre dans une sauteuse, réchauffez le riz déjà cuit, salez et poivrez. Incorporez les amandes juste avant de servir.

Poulet à la crème de raifort

Rapide à préparer, ce plat doit son originalité au goût piquant du raifort. Si vous prenez du raifort frais, mettez-en moitié moins.

INGRÉDIENTS

Pour 4 personnes

2 c. à soupe d'huile d'olive
4 morceaux de poulet
2 c. à soupe de beurre
2 c. à soupe de farine
450 ml/$^{3}/_{4}$ pinte de bouillon de poulet
2 c. à soupe de crème de raifort
sel et poivre noir fraîchement moulu
1 c. à soupe de persil frais haché
pommes de terre en purée et haricots verts tendres, pour servir

1 Chauffez l'huile dans un grand caquelon et faites dorer les morceaux de poulet des deux côtés, à feu moyen. Retirez le poulet du caquelon et réservez au chaud.

2 Essuyez le caquelon, faites fondre le beurre, versez la farine en remuant, puis versez le bouillon peu à peu en remuant constamment, jusqu'à ébullition.

3 Ajoutez la crème de raifort, salez et poivrez. Remettez le poulet dans le caquelon, couvrez et laissez mijoter 30 à 40 min.

4 Dressez sur un plat de service et saupoudrez de persil frais.

Paella au poulet

Il existe nombre de variantes de cette recette. On peut ajouter n'importe quel légume de saison, ainsi que des moules et autres fruits de mer. Servez dans la poêle.

INGRÉDIENTS

Pour 4 personnes

4 cuisses de poulet entières
4 c. à soupe d'huile d'olive
1 gros oignon haché fin
1 gousse d'ail écrasée
1 c. à café de curcuma en poudre
115 g/4 oz de chorizo ou de jambon fumé
225 g/8 oz de riz long grain
600 ml/1 pinte de bouillon de poulet
4 tomates pelées, épépinées, coupées petit
1 poivron rouge épépiné, en lamelles
115 g/4 oz de petits pois surgelés
sel et poivre noir

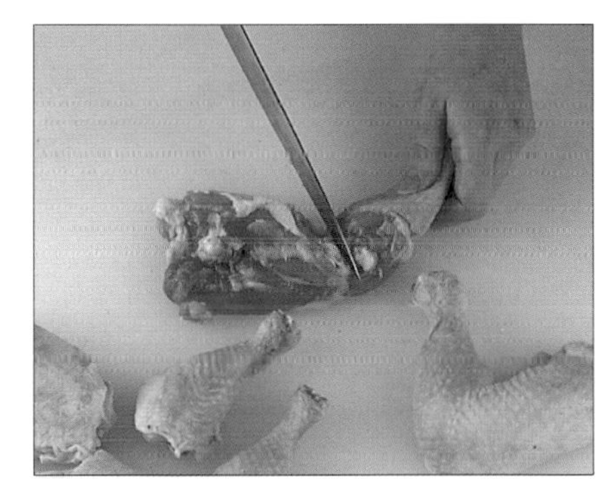

1 Préchauffez le four à 180°C/350°F/Th. 5. Séparez les pilons des hauts de cuisse.

2 Chauffez l'huile dans une poêle ou une grande sauteuse de 30 cm/12 po de diamètre et faites dorer les morceaux de poulet des deux côtés. Ajoutez l'ail et l'oignon, puis le curcuma, et faites revenir 2 min.

3 Coupez le chorizo en tranches (ou le jambon en dés) et mettez dans la poêle avec le riz et le bouillon. Portez à ébullition, salez, poivrez, couvrez et enfournez 15 min.

4 Sortez du four, ajoutez les tomates, le poivron et les pois surgelés. Remettez au four et laissez cuire 15 à 20 min., jusqu'à ce que le poulet soit tendre et que le riz ait absorbé le bouillon.

Poulet aux poivrons

Ce plat coloré est originaire du Sud de l'Italie où les poivrons abondent.

INGRÉDIENTS

Pour 4 personnes

1 poulet de 1,5 kg/3 lb, coupé en morceaux
3 gros poivrons : rouge, jaune ou vert
6 c. à soupe d'huile d'olive
2 oignons rouges de taille moyenne, coupés en fines lamelles
2 gousses d'ail finement hachées
un petit morceau de piment séché, écrasé
100 ml/4 fl oz de vin blanc
sel et poivre noir
2 tomates, fraîches ou en boîte, pelées et coupées en petits morceaux
3 c. à soupe de persil frais haché

1 Enlevez la graisse du poulet et les morceaux de peau qui pendent. Coupez les poivrons en deux, épépinez, enlevez la tige, et débitez en fines lanières.

2 Chauffez la moitié de l'huile dans une grande sauteuse ou une cocotte à fond épais. Faites ramollir l'oignon à feu doux, réservez. Mettez le reste de l'huile dans la sauteuse, passez à feu moyen et faites dorer le poulet de tous les côtés 6 à 8 min. Remettez les oignons et ajoutez l'ail et le piment éventuellement.

3 Mouillez avec le vin et faites réduire de moitié. Mettez les poivrons en remuant, pour bien les graisser. Salez et poivrez, laissez revenir 3 à 4 min. puis ajoutez les tomates en remuant bien. Réduisez le feu, couvrez et laissez cuire 25 à 30 min., le temps que les poivrons et le poulet cuisent à point. Remuez de temps en temps. Ajoutez le persil haché et servez.

Blancs de poulet au beurre

Une recette simple et délicieuse qui fait ressortir toute la délicatesse du poulet.

INGRÉDIENTS

Pour 4 personnes

4 petits blancs de poulet, désossés et pelés
farine assaisonnée au sel et au poivre noir fraîchement moulu
6 c. à soupe de beurre
1 brin de persil frais, pour garnir

1 Divisez les blancs en deux : ils se séparent facilement en un grand et un petit filets. Aplatissez les grands filets entre deux feuilles de film transparent. Farinez tous les filets en éliminant tout excès de farine.

2 Chauffez le beurre dans une grande poêle à fond épais et disposez les filets en une seule couche, si possible. Dorez 3 à 4 min. à feu modéré à vif.

3 Retournez les filets, réduisez le feu et poursuivez la cuisson 9 à 12 min. environ, jusqu'à ce que les blancs soient cuits mais restent fermes au toucher. Si le poulet risque de trop dorer, couvrez la poêle pendant les dernières min. de cuisson. Servez immédiatement, garni d'un peu de persil.

Poulet en sauce verte

Cette recette donne un poulet particulièrement tendre et juteux, grâce à une cuisson lente, à feu doux.

INGRÉDIENTS

Pour 4 personnes

2 c. à soupe de beurre

1 c. à soupe d'huile d'olive

4 portions de poulet

1 oignon de petite taille, haché

150 ml/1/4 pinte de vin blanc demi-sec

150 ml/1/4 pinte de bouillon de poulet

175 g/6 oz de cresson

2 brins de thym et 2 brins d'estragons

150 ml/1/4 pinte de crème fraîche

sel et poivre noir

feuilles de cresson, pour garnir

1 Chauffez le beurre et l'huile dans une sauteuse à fond épais, faites dorer le poulet uniformément. Sortez-le avec une cuillère-écumoire et gardez au chaud dans le four.

2 Faites revenir l'oignon dans la sauteuse jusqu'à ce qu'il ramollisse, mais sans colorer.

3 Versez le vin, portez à ébullition, puis versez le bouillon et portez encore à ébullition. Remettez le poulet dans la sauteuse, couvrez hermétiquement et laissez cuire à feu très doux 30 min. environ, jusqu'à ce que le jus du poulet soit limpide. Mettez le poulet dans un plat préchauffé, couvrez et gardez au chaud.

4 Portez les jus de cuisson à ébullition et faites réduire à 4 c. à soupe environ. Effeuillez le cresson et les fines herbes et mettez les feuilles dans la sauteuse, ajoutez la crème. Laissez mijoter à feu moyen jusqu'à ce que la sauce épaississe légèrement.

5 Remettez le poulet dans la sauteuse, salez, poivrez, et faites réchauffer quelques min. Garnissez de feuilles de cresson avant de servir.

Poulet « stoved »

Le nom de ce plat est dérivé du français « à l'étouffée » (cuire en vase clos) et remonte au XVIIe siècle, au temps de l'« Alliance » franco-écossaise.

INGRÉDIENTS

Pour 4 personnes

1 kg/2 1/4 lb de pommes de terre, coupées en tranches de 5 mm/1/4 po d'épaisseur
2 gros oignons en fines lamelles
1 c. à soupe de thym frais
2 c. à soupe de beurre
1 c. à soupe d'huile
2 grosses tranches de lard, coupées fin
4 quarts de poulet, coupés en deux
feuille de laurier
600 ml/1 pinte de bouillon de poulet
sel et poivre noir

1 Préchauffez le four à 150°C/300°F/Th. 3. Disposez la moitié des pommes de terre en couche épaisse dans une grande cocotte à fond épais, couvrez avec la moitié de l'oignon. Saupoudrez la moitié du thym, salez et poivrez.

2 Chauffez le beurre et l'huile dans une grande poêle, faites dorer le lard et le poulet.

3 Déposez le poulet et le lard dans la cocotte avec une pelle à trous. Réservez la graisse de la sauteuse. Saupoudrez le poulet du reste de thym, du laurier, du sel et du poivre. Couvrez avec le reste d'oignon, puis avec les pommes de terre, disposées de manière à se chevaucher partiellement. Salez, poivrez.

4 Versez le bouillon dans la cocotte, et passez les pommes de terre au pinceau avec la graisse réservée. Couvrez hermétiquement et enfournez 2 heures environ, le temps que le poulet soit bien cuit.

5 Préchauffez le gril. Découvrez la cocotte et mettez-la sous le gril pour dorer les tranches de pommes de terre. Servez bien chaud.

Gratin de poulet au parmesan

On peut préparer la sauce tomate la veille et la laisser rafraîchir. Servez avec du pain croustillant et de la salade.

INGRÉDIENTS

Pour 4 personnes

4 blancs de poulet, désossés et pelés
4 c. à soupe de farine
4 c. à soupe d'huile d'olive
sel et poivre noir

Pour la sauce tomate

1 c. à soupe d'huile d'olive
1 oignon, haché fin
1 branche de céleri, coupée fin
1 poivron rouge, épépiné et coupé en dés
1 gousse d'ail écrasée
400 g/14 oz de tomates en boîte morcelées, avec le jus
150 ml/1/4 pinte de bouillon de poulet
1 c. à soupe de purée de tomate
2 c. à café de sucre cristallisé
1 c. à soupe de basilic frais haché
1 c. à soupe de persil frais haché

Pour composer le plat

225 g/8 oz de mozzarella en tranches
4 c. à soupe de parmesan râpé
2 c. à soupe de chapelure à base de pain frais

1 Pour la sauce, chauffez 1 c. à soupe d'huile dans une poêle et faites revenir l'oignon, le céleri, le poivron et l'ail.

2 Ajoutez les tomates et leur jus, le bouillon, la purée, le sucre et les herbes. Salez, poivrez et portez à ébullition. Laissez mijoter 30 min. pour obtenir une sauce épaisse, remuez de temps en temps.

3 Divisez les blancs en deux filets qu'on aplatira entre deux feuilles de film transparent jusqu'à une épaisseur de 5 mm/1/4 po.

4 Salez, poivrez la farine. Farinez les filets en les secouant pour éliminer tout excès de farine.

5 Préchauffez le four à 180°C/350°F/Th. 5. Chauffez le reste de l'huile dans une grande poêle et faites dorer le poulet à feu vif 3 à 4 min.

6 Dans un grand plat à feu, alternez les couches d'ingrédients. Commencez par le poulet, puis les deux fromages, et la sauce tomate. Continuez ainsi, en finissant par une couche de fromage saupoudrée de chapelure. Cuisez au four sans couvrir 20 à 30 min., le temps que le plat dore.

Poulet aux champignons

Servez avec du riz complet (au bon goût de noisette) ou des tagliatelle verde. On peut déglacer la sauteuse au vin ou au cognac, à la place du sherry.

INGRÉDIENTS

Pour 4 personnes

4 gros blancs de poulet, désossés et pelés
3 c. à soupe d'huile d'olive
1 oignon coupé en fines lamelles
1 gousse d'ail écrasée
225 g/8 oz de petits champignons de Paris, coupés en quatre
2 c. à soupe de sherry
1 c. à soupe de jus de citron
150 ml/1/4 pinte de crème fraîche liquide
sel et poivre noir fraîchement moulu

1 Divisez les blancs de poulet en deux et aplatissez-les entre deux feuilles de film transparent jusqu'à une épaisseur de 5 mm/1/4 po. Coupez en diagonale, en lanières de 2,5 cm/1 po de large.

2 Chauffez 2 c. à soupe d'huile dans une grande poêle et faites ramollir l'oignon et la gousse d'ail à feu doux.

3 Ajoutez les champignons et faites revenir 5 min. Enlevez du feu et réservez au chaud.

4 Mettez à feu plus vif, ajoutez le reste d'huile et faites sauter le poulet par petites quantités 3 à 4 min., jusqu'à ce qu'il dore légèrement. Salez et poivrez, retirez de la poêle et gardez au chaud dans un plat jusqu'à ce que tout le poulet soit sauté.

5 Versez dans une cocotte le sherry et le jus de citron, puis le poulet, les oignons, l'ail et les champignons en remuant pour bien les imprégner de jus et de sherry.

6 Versez la crème en remuant et portez à ébullition. Rectifiez l'assaisonnement au besoin. Servez immédiatement.

Poulet au vin blanc et à l'ail

Si vous aimez la cuisine forte en goût, mettez la plus grosse quantité d'ail indiquée dans la recette.

INGRÉDIENTS

Pour 4 personnes

1 poulet de 1,5 kg/3 1/2 lb, coupé en portions
1 oignon, coupé en lamelles
3 à 6 gousses d'ail écrasées, à votre goût
1 c. à café de thym séché
475 ml/16 fl oz de vin blanc sec
115 g/4 oz d'olives vertes dénoyautées (16 à 18)
1 feuille de laurier
1 c. à soupe de jus de citron
1 à 2 c. à soupe de beurre
sel et poivre noir

1 Chauffez une poêle à grands bords et à fond épais. Quand elle est bien chaude, mettez-y les morceaux de poulet, peau sur le dessous, et laissez dorer à feu moyen environ 10 min. Retournez et faites dorer l'autre côté 5 à 8 min. environ.

2 Mettez les morceaux de poulet sur un plat et réservez.

3 Videz une partie de la graisse restée dans la poêle pour n'en garder que 1 c. à soupe environ. Ajoutez l'oignon avec 1/2 c. à café de sel et laissez-le ramollir 5 min. environ. Ajoutez l'ail et le thym et laissez cuire 1 min.

4 Versez le vin et remuez pour détacher les petits morceaux qui ont attaché au fond de la poêle. Portez à ébullition et laissez bouillir 1 min. Ajoutez les olives en remuant.

5 Remettez les morceaux de poulet dans la poêle. Ajoutez le laurier et poivrez légèrement. Réduisez le feu, couvrez et laissez mijoter 20 à 30 min., jusqu'à ce que le poulet soit bien cuit.

6 Dressez le poulet sur un plat préchauffé. Mélangez le jus de citron à la sauce de la poêle, pour l'épaissir battez-y le beurre. Nappez le poulet de jus et servez.

« Brioche » de poulet

Coupez la « brioche » en tranches et servez froid ou chaud.

INGRÉDIENTS

Pour 4 personnes

1 c. à soupe d'huile d'olive
1 oignon haché
1 poivron vert, épépiné et coupé en morceaux
1 gousse d'ail écrasée
450 g/1 lb de chair de poulet hachée
50 g/2 oz de chapelure à base de pain frais
1 œuf battu
50 g/2 oz de pignons
12 tomates séchées au soleil, à l'huile, égouttées et coupées en petits morceaux
5 c. à soupe de lait
2 c. à soupe de romarin frais haché ou 1/2 c. à café de romarin séché
1 c. à café de fenouil en poudre
1/2 c. à café d'origan séché
1/2 c. à café de sel

1 Préchauffez le four à 190°C/375°F/Th. 5. Chauffez l'huile dans une poêle. Ajoutez l'oignon, le poivron vert et l'ail et cuisez à feu doux 8 à 10 min., en remuant souvent, jusqu'à ce que le mélange commence à ramollir. Enlevez du feu et laissez refroidir.

2 Mettez le poulet dans une jatte. Ajoutez la préparation à base d'oignon et le reste des ingrédients, et mélangez le tout.

3 Mettez le mélange dans un moule à cake de 21 cm x 11 cm/8 1/2 po x 4 1/2 po en tassant bien. Enfournez environ 1 heure, jusqu'à ce qu'il soit bien doré. Servez chaud ou froid, coupé en tranches.

Coquelets rôtis en cocotte, à la française

Un plat incroyablement facile, mais spectaculaire et délicieux.

INGRÉDIENTS

Pour 4 personnes

1 c. à soupe d'huile d'olive
1 oignon coupé en lamelles
1 grosse gousse d'ail coupée en lamelles
50 g/2 oz de lard légèrement fumé, en dés
2 coquelets frais (d'un peu moins de 450 g/1 lb chaque)
2 c. à soupe de beurre fondu
2 cœurs de céleri, coupés en quatre
8 jeunes carottes en botte
2 petites courgettes coupées en gros morceaux
8 petites pommes de terre nouvelles
600 ml/1 pinte de bouillon de poulet
150 ml/1/4 pinte de vin blanc sec
1 feuille de laurier
2 brins de thym frais
2 brins de romarin frais
1 c. à soupe de beurre ramolli
1 c. à soupe de farine
sel et poivre noir
herbes fraîches, pour garnir

1 Préchauffez le four à 190°C/375°F/Th. 5. Chauffez l'huile d'olive dans une grande cocotte et faites revenir l'oignon, l'ail et le lard 5 à 6 min., pour faire ramollir les oignons.

2 Badigeonnez les coquelets de beurre fondu au pinceau, salez, poivrez. Posez-les sur le lit d'oignons, ail et lardons et disposez tout autour les légumes préparés à l'avance. Ajoutez le bouillon, le vin et les herbes.

3 Couvrez et cuisez au four 20 min., ôtez le couvercle, graissez les coquelets avec le reste de beurre fondu. Laissez cuire au four encore 25 à 30 min., jusqu'à ce que les volailles soient dorées.

4 Dressez les coquelets sur un plat préchauffé et découpez-les en deux. Sortez les légumes avec une écumoire et disposez-les autour des coquelets. Couvrez de papier d'aluminium et gardez au chaud.

5 Enlevez les herbes restées dans la cocotte avec le jus. Mélangez la farine et le beurre dans un bol de façon à former une pâte. Portez le liquide de la cocotte à ébullition et ajoutez-y le mélange farine-beurre en battant sans arrêt et jusqu'à ce que le jus épaississe. Salez, poivrez et servez avec les coquelets et les légumes, garnis de fines herbes.

Coq au vin

Une version délicieuse de ce plat français traditionnel qui connaît de nombreuses variantes. Servez-le avec de la baguette bien croustillante.

INGRÉDIENTS

Pour 4 personnes

2 c. à soupe d'huile d'olive
2 c. à soupe de beurre
1 poulet de 1,6 kg/3 1/2 lb, coupé en huit
115 g/4 oz de carré de porc, coupé en lanières de 5 mm/1/4 po
115 g/4 oz d'oignons miniatures pelés
115 g/4 oz de petits champignons de Paris
2 gousses d'ail écrasées
2 c. à soupe de cognac
250 ml/8 fl oz de vin rouge
300 ml/1/2 pinte de bouillon de poulet
1 bouquet garni
2 c. à soupe de beurre, mélangé à 2 c. à soupe de farine
sel et poivre noir
persil haché, pour garnir

1 Préchauffez le four à 160°C/325°F/Th. 4. Chauffez l'huile et le beurre dans une grande cocotte et dorez les morceaux de poulet de tous les côtés.

2 Ajoutez et faites revenir les lanières de porc, les oignons, les champignons et l'ail écrasé.

3 Versez le cognac et faites flamber. Les flammes éteintes, versez le vin rouge et le bouillon, puis ajoutez le bouquet garni, le sel et le poivre. Couvrez et laissez cuire doucement 1 heure environ, dans le four préchauffé.

4 Sortez le poulet et gardez au chaud. Épaississez la sauce avec le mélange beurre-farine, salez et poivrez. Laissez cuire quelques minutes puis remettez le poulet dans la cocotte. Saupoudrez de persil haché et servez.

Poulet en sauce crémeuse à l'orange

L'aspect délicieusement crémeux de cette sauce est trompeur puisqu'elle est en fait à base de fromage frais allégé, donc presque sans graisse. Le cognac donne une saveur plus riche, mais le jus d'orange suffit à agrémenter ce plat.

INGRÉDIENTS

Pour 4 personnes

8 hauts de cuisse ou cuisses de poulet, pelés
3 c. à soupe de cognac
300 ml/1/2 pinte de jus d'orange
3 petits oignons hachés
2 c. à café de Maïzena
90 ml/3 fl oz de fromage frais allégé
sel et poivre noir
riz, pâtes ou salade verte, pour servir

1 Faites dorer les morceaux de poulet sans matière grasse dans une poêle teflon ou une sauteuse à fond épais.

2 Versez le cognac, puis le jus d'orange, ajoutez les petits oignons. Portez à ébullition, couvrez et laissez mijoter 15 min. ou le temps que le poulet soit cuit et donne un jus limpide quand on le pique.

3 Délayez la Maïzena avec un peu d'eau, ajoutez le fromage frais et mélangez bien. Versez dans la sauce et cuisez à feu modéré, en remuant bien, jusqu'à ébullition.

4 Rectifiez l'assaisonnement si besoin, et servez avec du riz, des pâtes ou une salade verte.

ASTUCE

La Maïzena aide à stabiliser le fromage frais et l'empêche de cailler.

Poulet à la toscane

Un plat simple et campagnard, riche de toutes les saveurs traditionnelles de la Toscane. On peut remplacer le vin par du bouillon.

INGRÉDIENTS

Pour 4 personnes

8 hauts de cuisse, pelés
1 c. à café d'huile d'olive
1 oignon de taille moyenne, en fines lamelles
2 poivrons rouges, épépinés, en lamelles
1 gousse d'ail écrasée
300 ml/1/2 pinte de passata (sauce à base de tomates fraîches)
150 ml/1/4 pinte de vin blanc sec
un grand brin d'origan frais ou 1 c. à café d'origan séché
400 g/14 oz de flageolets en boîte, égouttés
3 c. à soupe de chapelure à base de pain frais
sel et poivre noir

1 Faites dorer le poulet dans l'huile dans une poêle teflon ou une sauteuse à fond épais. Enlevez et réservez au chaud. Faites ramollir l'oignon et le poivron à feu doux. Ajoutez l'ail en remuant.

2 Remettez le poulet dans la poêle, avec la passata, le vin et l'origan. Salez et poivrez, portez à ébullition et couvrez hermétiquement.

3 Réduisez le feu et laissez mijoter doucement en remuant de temps en temps 35 à 40 min. (Le poulet est cuit lorsque le jus est limpide).

4 Versez les flageolets en remuant et laissez mijoter encore 5 min. pour bien les réchauffer. Saupoudrez de chapelure et faites dorer sous un gril bien chaud.

Keftas à la sauce tomate

De délicieuses boulettes de viande nappées d'une savoureuse sauce tomate. Des pâtes et du parmesan râpé conviennent en accompagnement.

INGRÉDIENTS

Pour 4 personnes
1 poulet de 675 g/1 1/2 lb
1 oignon râpé
1 gousse d'ail écrasée
1 c. à soupe. de persil frais haché
1/2 c. à café de cumin en poudre
1/2 c. à café de coriandre en poudre
1 œuf battu
farine additionnée de sel et de poivre
50 ml/2 fl oz d'huile d'olive
sel et poivre noir
persil frais haché, pour garnir

Pour la sauce tomate
1 c. à soupe de beurre
1 c. à soupe de farine
250 ml/8 fl oz de bouillon de poulet
400 g/14 oz de tomates en boîte, en morceaux et avec le jus
1 c. à café de sucre cristallisé
1/4 de c. à café de mélange de fines herbes séchées

1 Préchauffez le four à 180°C/350°F/Th. 5. Pelez le poulet, désossez et hachez petit.

2 Mettez le poulet dans un bol avec l'oignon, l'ail, le persil, les épices, le sel et le poivre, et l'œuf battu.

3 Mélangez et façonnez 24 boulettes de 4 cm/1 1/2 po de diamètre. Roulez légèrement dans la farine additionnée de sel et de poivre.

4 Chauffez l'huile dans une poêle et faites dorer les boulettes par petites fournées (pour que l'huile reste bien chaude afin que la farine ne devienne pas collante). Sortez les boulettes et égouttez sur du papier absorbant. Contentez-vous de les dorer, car elles finiront de cuire dans la sauce tomate.

5 Pour la sauce tomate, faites fondre le beurre dans une grande casserole, versez la farine en pluie, puis le bouillon – en remuant bien – et les tomates dans leur jus. Ajoutez le sucre crisallisé et le mélange de fines herbes. Portez à ébullition, couvrez et laissez mijoter 10 à 15 min.

6 Disposez les boulettes dorées dans un plat à feu creux, versez la sauce tomate, couvrez avec du papier d'aluminium et cuisez au four préchauffé 30 à 40 min. Rectifiez l'assaisonnement, au besoin, et saupoudrez de persil.

Poulet à l'espagnole

Un plat de résistance coloré, idéal à déguster entre amis. Délicieux avec une salade verte croquante.

INGRÉDIENTS

Pour 8 personnes

2 c. à soupe de farine
2 c. à café de paprika en poudre
1/2 c. à café de sel
16 cuisses de poulet
50 ml/2 fl oz d'huile d'olive
1,2 litre/2 pintes de bouillon de poulet
1 oignon haché fin
2 gousses d'ail écrasées
450 g/1 lb de riz long grain
2 feuilles de laurier
225 g/8 oz de jambon cuit, coupé en dés
115 g/4 oz d'olives vertes fourrées au piment
1 poivron vert, épépiné, en petits carrés
2 boîtes de tomates de 400 g/14 oz, en petits morceaux dans leur jus
4 c. à soupe de persil frais haché

1 Préchauffez le four à 180°C/350°F/Th. 5. Mettez la farine, le paprika et le sel dans un sac plastique, secouez, puis mettez-y les cuisses une à une pour les revêtir de ce mélange.

2 Chauffez l'huile dans une grande cocotte et dorez les cuisses de poulet à feu doux, par tournées successives. Retirez du feu et gardez au chaud.

3 Pendant ce temps, portez le bouillon à ébullition et jetez-y l'oignon, l'ail, le riz et le laurier. Laissez cuire 10 min. Retirez du feu et ajoutez le jambon, les olives, le poivron et les tomates dans leur jus. Versez le tout dans un plat creux allant au feu.

4 Disposez le poulet par-dessus le mélange, couvrez et cuisez à cœur 30 à 40 min. Au besoin, ajoutez du bouillon en cours de cuisson pour éviter que le plat dessèche. Enlever les feuilles de laurier et garnissez en saupoudrant de persil haché.

Poulet au citron et aux herbes

On peut utiliser différentes sortes d'herbes selon la saison, en remplaçant par exemple l'estragon et le fenouil par du persil ou du thym.

INGRÉDIENTS

Pour 2 personnes

4 c. à soupe de beurre
2 petits oignons, bulbe uniquement, hachés fin
1 c. à soupe d'estragon frais haché
1 c. à soupe de fenouil frais haché
jus d'un citron
4 hauts de cuisse de poulet
sel et poivre noir
tranches de citron et brins de fines herbes, pour garnir

1 Préchauffez le gril à température douce. Dans une casserole, faites fondre le beurre, ajoutez oignons, herbes, citron, sel, poivre.

2 Badigeonnez le poulet, faites griller 10 à 12 min. en arrosant avec ce beurre aux aromates préparé en 1.

3 Retournez, arrosez, et laissez griller 10 min. encore (le jus doit être limpide quand on pique le poulet).

4 Servez garni de tranches de citron et d'herbes, et arrosé avec le reste du beurre aux aromates, s'il y en a.

Poulet au chou rouge

Les marrons et le chou rouge font un plat d'hiver haut en couleur.

INGRÉDIENTS

Pour 4 personnes

4 c. à soupe de beurre
4 grosses portions de poulet, coupées en deux
1 oignon haché
500 g/1 1/4 lb de chou rouge émincé
4 baies de genièvre écrasées
12 marrons cuits et décortiqués
120 ml/4 fl oz de vin rouge ayant un fort bouquet
sel et poivre noir

1 Chauffez le beurre dans une cocotte et faites légèrement dorer les portions de poulet. Réservez sur un plat.

2 Faites ramollir et dorer légèrement l'oignon dans la cocotte à feu doux. Ajoutez le chou et le genièvre en remuant, salez et poivrez et cuisez à feu modéré 6 à 7 min., en remuant une ou deux fois.

3 Incorporez les marrons en remuant bien, puis glissez les morceaux de poulet au fond de la cocotte, sous le lit de chou rouge. Mouillez avec le vin rouge.

4 Couvrez et laissez cuire doucement 40 min. environ, le temps que le jus du poulet soit limpide et que le chou soit très bien cuit. Rectifiez l'assaisonnement si besoin et servez.

Poulet aux mûres et au citron

Un délicieux ragoût qui marie des saveurs rares. Le vin rouge et les mûres en font un plat spectaculaire.

INGRÉDIENTS

Pour 4 personnes

- 4 blancs de poulet partiellement désossés
- 2 c. à soupe de beurre
- 1 c. à soupe d'huile de tournesol
- 4 c. à soupe de farine
- 150 ml/1/4 pinte de vin rouge
- 150 ml/1/4 pinte de bouillon de poulet
- écorce râpée d'une demi-orange, plus 1 c. à café de jus d'orange
- 3 brins de citronnelle hachés fin, plus 1 brin pour garnir
- 150 ml/1/4 pinte de crème fraîche
- 1 jaune d'œuf
- 115 g/4 oz de mûres fraîches, plus 50 g/2 oz pour garnir
- sel et poivre noir

1 Préchauffez le four à 180°C/350°F/Th. 5. Enlevez la peau du poulet, salez et poivrez. Chauffez le beurre et l'huile dans une poêle, faites sauter le poulet pour bien le saisir, puis réservez-le dans une cocotte. Versez la farine dans la poêle tout en remuant, puis le vin et le bouillon, et portez à ébullition. Ajoutez l'écorce et le jus d'orange, la citronnelle hachée. Versez cette sauce sur le poulet.

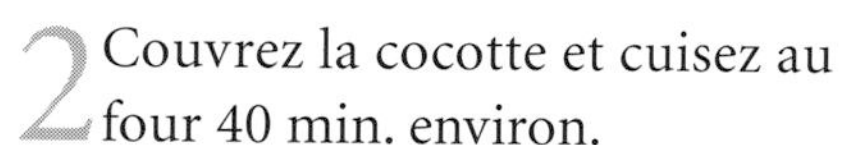

2 Couvrez la cocotte et cuisez au four 40 min. environ.

3 Mélangez la crème au jaune d'œuf, délayez avec un peu de jus de cuisson, et versez le mélange dans la cocotte en ajoutant les mûres (sauf celles réservées pour la garniture). Couvrez et laissez cuire 10 à 15 min. de plus. Servez en garnissant avec le reste des mûres et le brin de citronnelle.

Poulet en sauce cajun

Une friture de poulet bien croustillante, servie nappée d'une sauce tomate riche en saveur.

INGRÉDIENTS

Pour 4 personnes

1 poulet de 1,6 kg/3 1/2 lb, coupé en 8
90 g/3 1/2 oz de farine
250 ml/8 fl oz de babeurre ou de lait
huile végétale pour la friture
sel et poivre noir
petits oignons hachés, pour garnir

Pour la sauce

115 g/4 oz de saindoux ou d'huile végétale
9 c. à soupe de farine
2 oignons hachés
2 à 3 branches de céleri, en lamelles
1 gros poivron vert, épépiné et coupé en petits morceaux
2 gousses d'ail hachées fin
250 ml/8 fl oz de passata (sauce à base de tomates fraîches)
450 ml/3/4 pinte de vin rouge ou de bouillon de poulet
225 g/8 oz de tomates, pelées et coupées en petits morceaux
2 feuilles de laurier
1 c. à soupe de cassonade
1 c. à café d'écorce d'orange râpée
1/2 c. à café de poivre de Cayenne

1 Pour la sauce, chauffez le saindoux ou l'huile dans une grosse sauteuse à fond épais et versez la farine en pluie, tout en remuant. Cuisez à feu assez doux en remuant 15 à 20 min., jusqu'à obtenir une couleur noisette.

2 Ajoutez les oignons, le céleri, le poivron et l'ail et faites ramollir en remuant.

3 En remuant toujours, ajoutez le reste des ingrédients, puis salez et poivrez. Portez à ébullition, puis laissez mijoter une heure. Remuez de temps en temps.

4 Pendant ce temps, préparez le poulet. Mettez la farine dans un sac plastique, avec du sel et du poivre. Trempez chaque morceau de poulet dans le babeurre ou le lait, puis jetez-le dans le sac et secouez pour bien le fariner, mais sans excès. Réservez le poulet 20 min. pour que son enrobage de farine ait le temps de « prendre » avant la friture.

5 Chauffez l'huile végétale (2,5 cm/1 po de profondeur) dans une grande poêle jusqu'à ce qu'elle commence à grésiller. Faites dorer les morceaux de poulet 30 min., en les retournant une fois (la viande doit être bien cuite).

6 Égouttez les morceaux de poulet frit sur un papier absorbant. Mettez-les dans la sauce et saupoudrez de petits oignons hachés.

Poulets rôtis en cocotte, farcis à la chair à saucisse

Ces poulets en cocotte tendres et juteux sont succulents.

INGRÉDIENTS

Pour 6 personnes

2 poulets de 1,12 kg/2 1/2 lb
2 c. à soupe d'huile végétale
350 ml/12 fl oz de bouillon de poule, ou moitié bouillon/moitié vin
1 feuille de laurier

Pour la farce

450 g/1 lb de chair à saucisse
1 oignon de petite taille haché
1 ou 2 gousses d'ail hachées fin
1 c. à café de paprika épicé
1/2 c. à café de piment séché (facultatif)
1/2 c. à café de thym séché
1/4 de c. à café de quatre-épices
40 g/1 1/2 oz de chapelure à base de pain frais (mouture grossière)
1 œuf battu
sel et poivre noir

1 Préchauffez le four à 180°C/350°F/Th. 5.

2 Pour la farce, faites revenir la chair à saucisse, l'oignon et l'ail dans une poêle, à feu modéré, jusqu'à ce que la chair dore et se détache en petits morceaux. Remuez et retournez sans cesse. Retirez du feu et ajoutez le reste des ingrédients de la farce, et le sel et le poivre, en mélangeant bien.

3 Répartissez la farce entre les deux poulets en bourrant l'intérieur de chaque volaille par le croupion (si l'on préfère, on peut introduire un peu de farce par le cou et cuire le reste dans un autre plat). Bridez les poulets.

4 Chauffez l'huile dans une cocotte à la taille des deux poulets. Dorez-les sur toutes leurs faces.

5 Ajoutez le bouillon, le laurier, du sel et du poivre. Couvrez et portez à ébullition, puis mettez au four 1 h 15 (le jus doit être limpide).

6 Défaites la ficelle des poulets, sortez la farce à la cuillère et mettez-la sur le plat de service. Dressez les pots et servez avec les jus de cuisson dégraissés.

VARIANTE

Ce plat est également délicieux avec deux pintades.

Coquelets à la Waldorf

Une variante originale de la volaille farcie du dimanche.

INGRÉDIENTS

Pour 6 personnes

6 coquelets de 500 g/1 1/4 lb environ
sel et poivre noir
3 à 4 c. à soupe de beurre fondu

Pour la farce

2 c. à soupe de beurre
1 oignon haché fin
300 g/11 oz de riz déjà cuit
2 branches de céleri coupées fin
2 pommes rouges, épépinées en dés
50 g/2 oz de noix pilées
5 c. à soupe de sherry doux ou de jus de pomme
2 c. à soupe de jus de citron

1 Préchauffez le four à 180°C/350°F/Th. 5. Pour la farce, faites fondre le beurre dans une petite poêle et ramollir l'oignon, en remuant de temps en temps. Versez oignon et beurre dans un bol, ajoutez le reste des ingrédients. Salez, poivrez, mélangez.

2 Divisez la farce entre les deux coquelets et remplissez l'intérieur, en tassant bien. Bridez les coquelets et mettez-les dans un plat à feu. Saupoudrez de sel et de poivre et arrosez de beurre fondu.

3 Rôtissez au four 1 h 15 à 1 h 30. Enlevez la ficelle, servez.

DÉCOUPER LA VOLAILLE

Il faut un grand couteau à découper ou un couteau électrique, une grande fourchette à deux dents et une planche à découper munie d'une encoche pour recueillir le jus.

Coupez les ficelles. Quand la volaille est farcie, enlevez la farce à la cuillère et mettez-la sur le plat de service. La découpe sera plus facile si on retire la « fourchette » (le petit os qui réunit les deux clavicules d'un oiseau).

Piquez la fourchette dans un blanc pour maintenir le poulet en place, coupez à travers la peau au-dessus de l'articulation d'un haut de cuisse, et tranchez celle-ci de façon à détacher la cuisse entière. Répétez l'opération de l'autre côté.

1 Tranchez l'articulation de la cuisse pour détacher le haut de cuisse du pilon. Pour une dinde, on fera des tranches dans le haut de cuisse et le pilon, en coupant parallèlement à l'os et en retournant la volaille au fur et à mesure, afin de faire des tranches égales. Dans un poulet, on laissera les hauts de cuisse et les pilons entiers.

2 Pour les blancs de dinde ou de poulet, faites des tranches de 5 mm/1/4 po en coupant latéralement, de chaque côté du bréchet. S'agissant de petites volailles, levez les blancs d'une seule pièce et tranchez en deux.

Ragoût de poulet « Brunswick »

Relevé par une note épicée, ce ragoût de poulet est un plat nourrissant qui réchauffe.

INGRÉDIENTS

Pour 6 personnes

1 poulet de 1,750 kg/4 lb, en morceaux
paprika
2 c. à soupe d'huile d'olive
2 c. à soupe de beurre
450 g/1 lb d'oignons hachés
225 g/$^1/_2$ lb de poivrons verts ou jaunes, coupés en morceaux
475 g/16 fl oz de tomates fraîches ou en boîte, pelées et coupées en petits morceaux
250 ml/8 fl oz de vin blanc
475 ml/16 fl oz de bouillon de poulet ou d'eau
15 g/$^1/_2$ oz de persil frais haché
$^1/_2$ c. à café de sauce au piment (forte)
1 c. à soupe de sauce Worcester
350 g/12 oz de maïs doux en grains (frais, surgelé ou en boîte)
185 g/6$^1/_2$ oz de haricots beurre (frais ou surgelés)
3 c. à soupe de farine
sel et poivre noir
riz, pommes de terre ou petits pains, pour servir (facultatif)

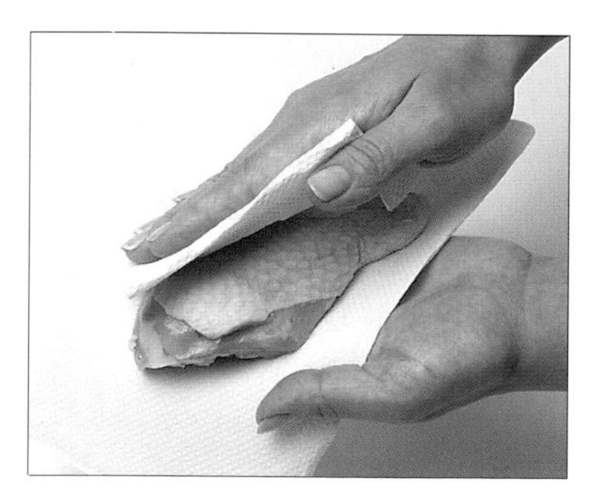

1 Essuyez les morceaux de poulet au papier absorbant, puis saupoudrez de sel et de paprika.

2 Dans une grande sauteuse à fond épais, chauffez l'huile d'olive avec le beurre, à feu moyen. Chauffez jusqu'à ce que le mélange grésille et commence à changer de couleur.

3 Faites sauter les morceaux de poulet en les dorant bien de tous les côtés. Sortez-les avec des pinces et réservez.

4 Réduisez le feu et dans la sauteuse faites ramollir les oignons et les poivrons 8 à 10 min.

5 Augmentez le feu et ajoutez les tomates et leur jus, le vin, le bouillon ou l'eau, le persil, la sauce au poivre fort et la sauce Worcester. Remuez et portez à ébullition.

6 Remettez le poulet sauté dans la sauteuse et immergez-le bien dans la sauce. Couvrez, réduisez le feu et laissez mijoter 30 min. en remuant de temps en temps.

7 Ajoutez le maïs, les haricots beurre et mélangez. Couvrez partiellement et laissez cuire 30 min.

8 Inclinez la sauteuse et tâchez de dégraisser au maximum. Délayez la farine avec un peu d'eau dans un petit bol pour faire une pâte.

9 Prenez 175 ml/6 fl oz de sauce chaude dans la sauteuse et versez peu à peu sur la pâte, en mélangeant bien. Reversez le mélange sur le ragoût en remuant bien pour qu'il se diffuse partout et qu'il épaississe. Cuisez 5 à 8 min. encore, en remuant de temps en temps.

10 Vérifiez l'assaisonnement. Servez dans des assiettes creuses ou de grands bols.

Poulet à la sauge, aux pruneaux et au cognac

Ce plat doit son originalité à sa sauce relevée d'un bon cognac. Utilisez donc le meilleur que vous pouvez.

INGRÉDIENTS

Pour 4 personnes

115 g/4 oz de pruneaux

1,500 kg/3 à 3 1/2 lb de blancs de poulet désossés

300 ml/1/2 pinte de cognac

1 c. à soupe de sauge fraîche hachée

150 g/5 oz de lard fumé, en un seul morceau

4 c. à soupe de beurre

24 mini-oignons, pelés, coupés en quatre

sel et poivre noir

feuilles de sauge fraîche, pour garnir

1 Dénoyautez les pruneaux et coupez-les en petites lanières. Pelez le poulet et coupez les blancs en lamelles.

2 Mélangez les pruneaux, le cognac et la sauge hachée dans un plat non métallique. Couvrez et laissez mariner une nuit.

3 Le lendemain, égouttez le poulet et les pruneaux, réservez la marinade au cognac et essuyez les morceaux de poulet.

4 Coupez le lard fumé en dés et réservez.

5 Chauffez le wok, faites fondre la moitié du beurre et revenir les oignons 4 min. en remuant constamment, jusqu'à qu'ils soient dorés et croustillants. Réservez.

6 Faites sauter le lard 1 min. en remuant bien, jusqu'à ce qu'il commence à donner de la graisse. Ajoutez le reste du beurre et faites revenir le poulet et les pruneaux 3 à 4 min., jusqu'à ce que la viande soit dorée et croustillante. Puis poussez le lard, le poulet et les pruneaux d'un côté du wok et versez le cognac. Laissez mijoter jusqu'à ce que la sauce épaississe, puis mêlez-y le poulet. Salez, poivrez et servez garni de sauge.

Sauce poulet-tomate pour accompagner des pâtes

Servez avec une salade de haricots de différentes sortes.

INGRÉDIENTS

Pour 4 personnes

1 c. à soupe d'huile d'olive
1 oignon haché
1 carotte en petits morceaux
50 g/2 oz de tomates séchées au soleil, à l'huile d'olive (poids égoutté)
1 gousse d'ail hachée
400 g/14 oz de tomates en boîte égouttées et coupées en petits morceaux
1 c. à soupe de purée de tomate
150 ml/$^1/_4$ pinte de bouillon de poulet
350 g/12 oz de pâtes en spirale (fusilli)
225 g/8 oz de poulet, coupé en oblique
sel et poivre noir
brins de menthe fraîche, pour garnir

1 Chauffez l'huile dans une grande poêle, dorez l'oignon, la carotte 5 min. en remuant.

2 Coupez les tomates séchées en petits morceaux et réservez.

3 Ajoutez-y ail, tomates en boîte, purée de tomate et bouillon à l'oignon et à la carotte, mélangez, portez à ébullition. Mijotez 10 min.

4 Cuisez les pâtes dans une grande quantité d'eau selon les instructions du paquet.

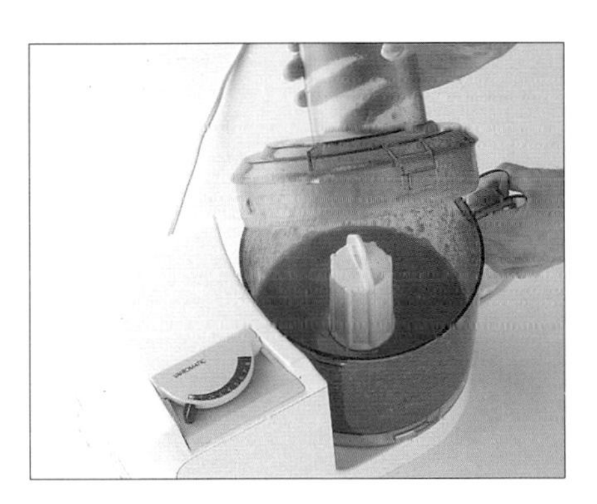

5 Versez la sauce dans un mixer ou un robot pour obtenir un mélange homogène.

ASTUCE

Les tomates séchées au soleil sont vendues en bocal, macérées dans de l'huile végétale ou de l'huile d'olive. Celles qui sont à l'huile d'olive ont beaucoup plus de goût. Pour rendre la sauce encore plus savoureuse, prenez 1 c. à soupe. d'huile du bocal de tomates pour faire sauter l'oignon et la carotte.

6 Reversez la sauce dans la poêle, ajoutez les tomates séchées et le poulet. Portez à ébullition, puis laissez mijoter 10 min. pour bien cuire le poulet. Rectifiez l'assaisonnement.

7 Égouttez les pâtes et jetez-les dans la sauce. Servez immédiatement, garni de feuilles de menthe fraîche.

Poulet à l'alcool de prunelle et au genièvre

Le genièvre sert à la fabrication du gin. La combinaison de la prunelle et du genièvre exalte les saveurs et donne un goût délicieux au plat. L'alcool de prunelle est facile à faire soi-même mais on peut aussi l'acheter tout fait.

INGRÉDIENTS

Pour 8 personnes

2 c. à soupe de beurre
2 c. à soupe d'huile de tournesol
8 filets de blancs de poulet
350 g/12 oz de carottes, cuites
1 gousse d'ail écrasée
1 c. à soupe de persil frais haché
50 ml/2 fl oz de bouillon de poulet
50 ml/2 fl oz de vin rouge
50 ml/2 fl oz d'alcool de prunelle
1 c. à café de baies de genièvre écrasées
sel et poivre noir
basilic frais haché, pour garnir

1 Faites fondre le beurre et l'huile dans une poêle et faites sauter le poulet en le dorant bien de tous les côtés.

2 Mettez tout le reste des ingrédients – sauf le basilic – dans un mixer ou un robot, et réduisez en purée fine. Diluez éventuellement au vin ou à l'eau.

3 Disposez les blancs dans une poêle propre, nappez de sauce et cuisez à feu modéré mais à cœur, 15 min. environ. Rectifiez l'assaisonnement et servez garni de basilic haché.

Poulet aux figues et à la menthe

Délicieux mariage de la menthe, de l'orange et du poulet.

INGRÉDIENTS

Pour 4 personnes

500 g/1 1/4 lb de figues sèches
1/2 bouteille de vin blanc doux et fruité
4 blancs de poulet désossés d'environ 175 à 225 g/6 à 8 oz chaque
1 c. à soupe de beurre
2 c. à soupe de marmelade d'orange « dark » (brune)
10 feuilles de menthe, hachées fin, plus quelques-unes pour garnir
jus d'un 1/2 citron
sel et poivre noir

1 Mettez les figues dans une casserole avec le vin, portez à ébullition, laissez mijotez à feu doux 1 h. Gardez au frais une nuit.

2 Sautez à point les blancs au beurre dans une poêle. Enlevez et réservez au chaud. Videz l'excès de graisse de la poêle et versez le jus des figues. Faites bouillir, réduisez jusqu'à obtenir 150 ml/1/4 pinte de jus.

3 Ajoutez la marmelade, les feuilles de menthe hachées, le jus de citron et laissez mijoter quelques minutes. Assaisonnez. Quand la sauce est épaisse et luisante, nappez-en le poulet et servez garni de figues et de feuilles de menthe.

Poulet sauce piquante

En Louisiane tout ce qui bouge dans l'air, sur terre ou dans l'eau se retrouve accommodé à la sauce piquante. On trouve même de l'alligator sauce piquante sur les menus. Le degré de piquant varie avec la quantité de piment.

INGRÉDIENTS

Pour 4 personnes

4 cuisses entières de poulet ou 2 cuisses entières et 2 quarts avec blancs
75 ml/3 fl oz d'huile végétale
50 g/2 oz de farine
1 oignon de taille moyenne, haché
2 branches de céleri, coupées en lamelles
1 poivron vert, épépiné et coupé en morceaux
2 gousses d'ail écrasées
1 feuille de laurier
$^{1}/_{2}$ c. à café de thym séché
$^{1}/_{2}$ c. à café d'origan séché
1 ou 2 piments rouges, épépinés et hachés fin
400 g/14 oz de tomates en boîte avec leur jus, coupées en petits morceaux
300 ml/$^{1}/_{2}$ pinte de bouillon de poulet
sel et poivre noir
cresson pour garnir
pommes de terre à l'eau, pour servir

1 Pour découper en huit portions, séparez les hauts de cuisse des pilons en tranchant l'articulation, ou tranchez les blancs par le milieu.

2 Dorer le poulet à l'huile dans une poêle à fond épais, puis ôtez les morceaux.

3 Versez l'huile qui reste dans une cocotte à fond épais. Chauffez, versez la farine en pluie, tout en remuant. Cuisez à feu doux en remuant, jusqu'à la couleur « rousse ».

4 Aussitôt que le roux a atteint sa belle couleur, ajoutez l'oignon, le céleri et le poivron et remuez 2 à 3 min.

5 Ajoutez l'ail, le laurier, le thym, l'origan et les piments. Remuez 1 min., puis réduisez le feu et ajoutez les tomates dans leur jus tout en remuant.

6 Ravivez le feu et versez le bouillon peu à peu, tout en remuant. Ajoutez les morceaux de poulet, couvrez et laissez mijoter 45 min., jusqu'à ce que la viande soit tendre.

7 S'il y a trop de sauce ou si elle est trop liquide, découvrez la cocotte les 10-15 dernières minutes de cuisson, et augmentez un peu le feu.

8 Vérifiez l'assaisonnement et servez garni de cresson et accompagné de pommes de terre à l'eau.

ASTUCE

Si vous préférez ne pas risquer de faire un plat trop pimenté, ne mettez qu'un seul piment et relevez l'assaisonnement final en ajoutant une ou deux giclées de sauce Tabasco. L'huile que contient l'écorce des piments imprègne la peau et peut brûler si l'on se frotte les yeux par mégarde. Épépinez les piments sous l'eau du robinet et lavez-vous bien les mains lorsque vous les manipulez.

Ailes de poulet farcies

Ces ailes farcies font un plat savoureux qu'on peut servir chaud ou froid, pour un buffet. On peut les préparer à l'avance et les congeler.

INGRÉDIENTS

Pour 12 portions

12 ailes de poulet bien charnues

Pour la farce

1 c. à café de Maïzena

1/4 de c. à café de sel

1/2 c. à café de thym frais

une pincée de poivre noir

Pour le nappage

225 g/8 oz de chapelure

2 c. à soupe de graines de sésame

2 œufs battus

huile pour la friture

1 Enlevez les ailerons et jetez-les, ou bien gardez-les pour faire un bouillon. Enlevez la peau de la partie médiane de l'aile et les deux petits os, et réservez la viande pour la farce.

2 Hachez la viande réservée et mélangez aux ingrédients de la farce.

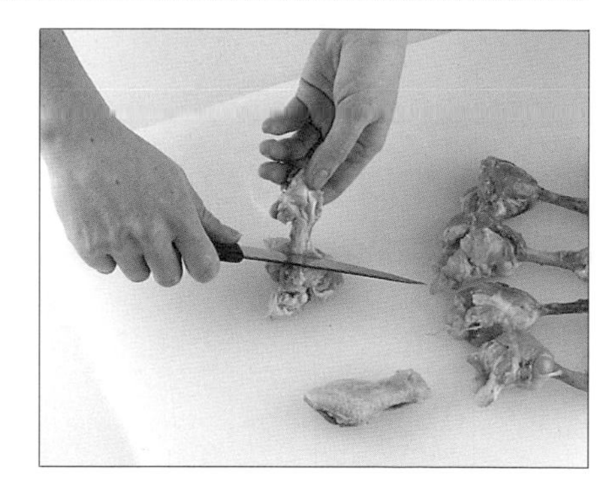

3 Prenez la partie supérieure de l'aile par la plus grosse extrémité de l'os. À l'aide d'un couteau bien aiguisé, détachez la peau et la chair de l'os en les repoussant vers la petite extrémité de l'os, de façon à former une poche. Répétez l'opération avec les autres ailes.

4 Remplissez les petites poches de farce. Mélangez la chapelure et les graines de sésame dans une assiette, à côté d'une autre assiette contenant l'œuf battu.

5 Enduisez la viande d'œuf battu puis roulez-la dans le mélange de chapelure pour l'en couvrir. Réfrigérez puis répétez l'opération afin de paner les ailes une seconde fois, de façon à leur donner une croûte épaisse. Réfrigérez jusqu'au moment de frire.

6 Préchauffez le four à 180°C/350°F/Th. 5. Chauffez 5 cm/2 po d'huile dans une sauteuse à fond épais jusqu'à ce que l'huile soit très chaude mais ne fume pas, sinon la chapelure brûlera. Faites frire deux ou trois ailes à la fois, retirez et égouttez sur du papier absorbant. Terminez la cuisson en laissant 15 à 20 min. au four préchauffé.

Penne rigate en sauce poulet-jambon

Relevée par le vin, cette sauce fait de ces pâtes un repas complet.

INGRÉDIENTS

Pour 4 personnes

350 g/12 oz de pâtes penne rigate
2 c. à soupe de beurre
1 oignon haché
1 gousse d'ail hachée
475 ml/16 fl oz de vin blanc sec
150 ml/1/4 pinte de crème fraîche
225 g/8 oz de poulet froid, pelé, désossé et coupé en dés
115 g/4 oz de jambon cuit maigre, en dés
115 g/4 oz de gouda râpé
1 c. à soupe de menthe fraîche hachée
menthe fraîche finement ciselée
sel et poivre noir

1 Cuisez les pâtes dans une grande quantité d'eau selon instructions du paquet.

2 Chauffez le beurre dans une grande poêle et faites revenir l'oignon jusqu'à ce qu'il ramollisse.

3 Ajoutez l'ail, le laurier et le vin et portez à ébullition. Laissez bouillir de façon à réduire de moitié. Enlevez le laurier, puis mettez la crème fraîche en remuant bien et faites revenir à ébullition.

4 Ajoutez le poulet, le jambon et le fromage et laissez mijoter 5 min. en remuant de temps en temps jusqu'à ce que tout soit bien chaud.

5 Ajoutez la menthe, le sel et le poivre. Égouttez les pâtes, mettez-les dans un grand saladier, versez aussitôt la sauce dessus et servez garni de menthe ciselée.

Tagliatelles en sauce poulet-fines herbes

La sauce contenant du vin, ce plat est agréable avec une salade verte.

INGRÉDIENTS

Pour 4 personnes

2 c. à soupe d'huile d'olive
1 oignon rouge, coupé en grosses tranches
350 g/12 oz de tagliatelles
1 gousse d'ail hachée
350 g/12 oz de poulet froid coupé en dés
300 ml/$^1/_2$ pinte de vermouth sec
3 c. à soupe de fines herbes fraîches, hachées
150 ml/$^1/_4$ pinte de fromage frais
sel et poivre noir
menthe ciselée, pour garnir

1 Chauffez l'huile dans une grande poêle et faites ramollir l'oignon 10 min. (les couches doivent commencer à se séparer).

2 Cuisez les pâtes dans une bonne quantité d'eau, selon les instructions figurant sur le paquet.

3 Ajoutez l'ail et le poulet et faites dorer à cœur 10 min. en remuant de temps en temps.

4 Versez le vermouth, portez à ébullition et cuisez à gros bouillon jusqu'à réduire de moitié environ.

5 Ajoutez les herbes, le fromage frais, le sel et le poivre tout en remuant doucement et sans laisser bouillir.

6 Égouttez les pâtes, versez la sauce dessus et, d'un geste du poignet, faites sauter les pâtes dans le plat pour bien les enduire de sauce. Servez immédiatement, avec la menthe fraîche ciselée.

ASTUCE

Vous pouvez remplacer le vermouth par du vin blanc sec. L'orvieto et le frascati sont deux vins italiens qui conviennent idéalement.

Risotto

Un plat italien à base de riz à petit grain rond – « l'arborio » – qui donne une consistance crémeuse à ce plat facile préparé dans une seule poêle.

INGRÉDIENTS

Pour 4 personnes

1 c. à soupe d'huile
175 g/6 oz de riz « arborio »
1 oignon haché
225 g/8 oz de chair de poulet hachée
600 ml/1pinte de bouillon de poulet
1 poivron rouge, épépiné en dés
1 poivron jaune, épépiné en dés
75 g/3 oz de haricots verts surgelés
115 g/4 oz de champignons de Paris (les bruns), coupés en lamelles
1 c. à soupe de persil frais haché
sel et poivre noir
persil frais, pour garnir

1 Chauffez l'huile dans une grande poêle. Versez le riz et faites-le revenir 2 min.

2 Ajoutez l'oignon et le poulet haché, cuisez 5 min. en remuant de temps en temps.

3 Versez le bouillon et portez à ébullition.

4 Ajoutez les poivrons et réduisez le feu. Cuisez 10 min.

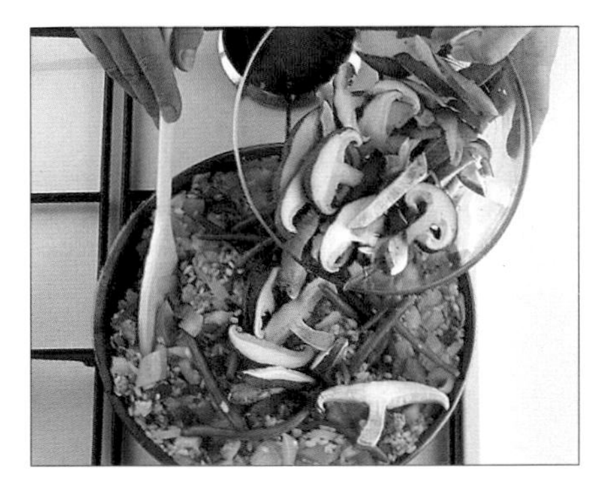

5 Ajoutez les haricots verts et les champignons et cuisez 10 min.

6 Incorporez le persil en remuant bien, salez et poivrez. Laissez cuire encore 10 min. ou jusqu'à ce que tout le liquide soit absorbé. Servez garni de persil frais.

SALADES ET BARBECUES

Pittas au poulet et au chou rouge

Les pittas font un en-cas ou un sandwich très commode pour le déjeuner ; on peut les garnir de crudités excellentes pour la santé.

INGRÉDIENTS

Pour 4 personnes

- 1/4 de chou rouge coupé en fines lanières
- 1 oignon rouge de petite taille, coupé en fines lamelles
- 2 radis coupés en lamelles fines
- 1 pomme rouge, pelée, épépinée et râpée
- 1 c. à soupe de jus de citron
- 3 c. à soupe de fromage frais
- 1 blanc de poulet froid pelé d'environ 175 g/6 oz
- 4 grands pittas ou 8 petits
- sel et poivre noir
- persil frais haché, pour garnir

1 Enlevez la grosse nervure centrale des feuilles de chou rouge et coupez-les en fines lanières avec un couteau bien aiguisé. Mettez les lanières dans un saladier et ajoutez-y l'oignon, les radis, la pomme et le jus de citron.

2 Mélangez à cela le fromage frais, salez et poivrez. Coupez le blanc de poulet froid en fines tranches et incorporez-les au mélange en remuant bien, pour que le poulet soit bien enduit de fromage frais.

3 Humectez les pittas en les éclaboussant de quelques gouttes d'eau et chauffez-les sous un gril bien chaud. Ouvrez-les d'un côté avec un couteau à lame arrondie. Répartissez la garniture entre les pittas et décorez avec le persil frais haché.

ASTUCE

Si l'on prépare les pittas plus d'une heure à l'avance, on tapissera l'intérieur du pitta de laitue avant de remplir de garniture.

Kébabs de poulet à la mode des Caraïbes

On sent la saveur ensoleillée des Caraïbes dans ces brochettes auxquelles la marinade conserve leur tendresse. Servez avec une salade colorée et du riz.

INGRÉDIENTS

Pour 4 personnes

500 g/$1^1/4$ lb de blancs de poulet, désossés et pelés

écorce d'un citron vert, râpé fin

2 c. à soupe de jus de citron vert

1 c. à soupe de rhum ou de sherry

1 c. à soupe de cassonade en poudre

1 c. à café de cannelle en poudre

2 mangues pelées et coupées en dés

riz et salade, pour servir

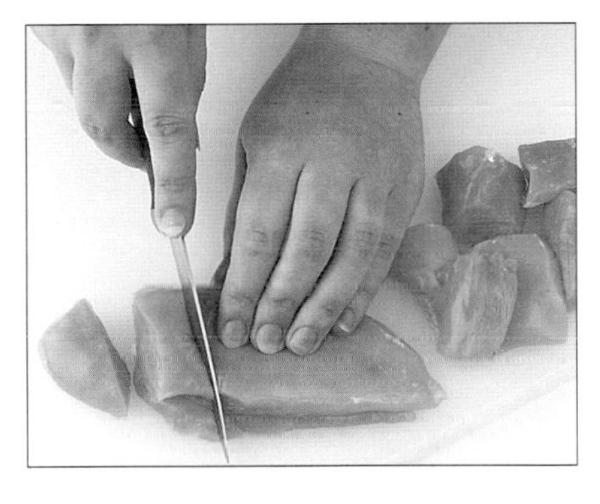

1 Coupez les blancs en morceaux de la taille d'une bouchée et mettez-les dans un bol avec l'écorce et le jus de citron vert, le rhum ou le sherry, le sucre et la cannelle. Retournez-les, couvrez et laissez mariner 1 heure.

ASTUCE

Le rhum ou le sherry exaltent le goût du poulet, mais on peut omettre d'en ajouter si l'on veut faire un plat plus économique.

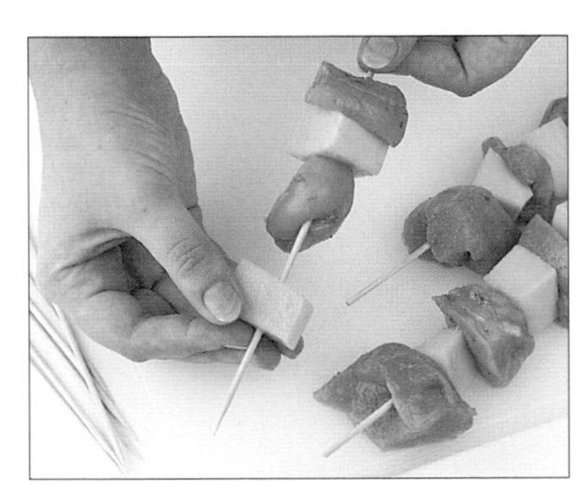

2 Réservez la marinade et enfilez le poulet sur 4 brochettes en bois, en faisant alterner le poulet et la mangue.

3 Cuisez les brochettes sous un gril très chaud ou au barbecue 8 à 10 min. en retournant et en arrosant avec la marinade, jusqu'à ce que le poulet soit cuit à point. Servez avec du riz et de la salade.

Poulet grillé

Ce plat, connu sous le nom d'Ayam Bakur en Indonésie, sera plus parfumé si le poulet marine une nuit. Idéal pour faire au dernier moment.

INGRÉDIENTS

Pour 4 personnes

1 poulet de 1,5 kg/3 à 3 1/2 lb
4 gousses d'ail écrasées
2 tiges de lemon-grass : prenez les 4,5 cm/2 po inférieurs de la tige de cette herbe tropicale et coupez fin
1 c. à café de curcuma
475 ml/16 fl oz d'eau
3 à 4 feuilles de laurier
3 c. à soupe de sauce soja ordinaire et 3 de sauce soja concentrée
50 g/2 oz de beurre ou de margarine
sel
riz cuit à l'eau, pour servir

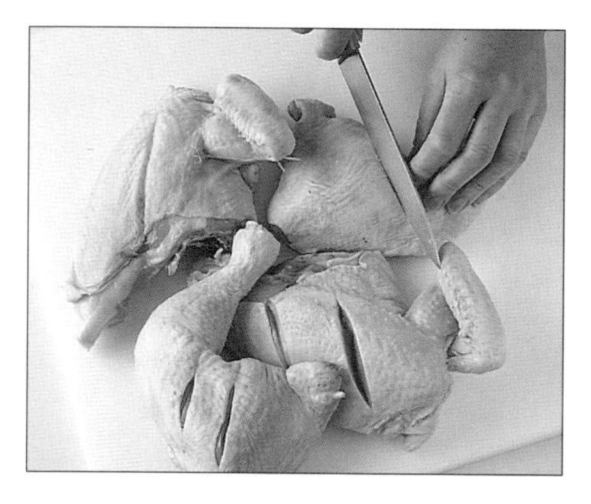

1 Découpez le poulet en 4 ou 8 portions, en pratiquant deux entailles dans la partie la plus charnue, et réservez.

2 Réduisez l'ail, les morceaux de lemon-gras, le curcuma et le sel en purée au mixer ou dans un mortier. Frottez le poulet avec cette purée et laissez reposer 30 min. au moins. Portez des gants de caoutchouc car le curcuma fait de mauvaises taches, ou bien lavez-vous les mains aussitôt après, au choix.

3 Mettez le poulet dans un wok et versez l'eau. Ajoutez le laurier et portez à ébullition. Couvrez et cuisez à feu doux 30 min. en ajoutant un peu d'eau au besoin et en remuant de temps en temps.

4 Cuisez jusqu'à ce que le poulet ait bien absorbé la sauce. Finissez la cuisson du poulet sous un gril préchauffé, au barbecue ou dans un four préchauffé à 200°C/ 400°F/ Th. 6. Laissez cuire 10 à 15 min. en retournant souvent les morceaux afin qu'ils dorent bien partout, sans brûler. Arrosez avec le reste de sauce pendant la cuisson. Servez avec du riz cuit à l'eau.

5 Juste avant de servir, ajoutez les deux sauces soja et le beurre ou la margarine.

Salade de poulet à la moutarde de Dijon

Pour le déjeuner avec de la baguette chaude fourrée au beurre d'escargots.

INGRÉDIENTS

Pour 4 personnes

4 blancs de poulet, désossés et pelés
salade composée, pour servir, frisée, feuille de chêne, mesclun

Pour la marinade

2 c. à soupe de moutarde de Dijon
3 gousses d'ail écrasées
1 c. à soupe d'oignon râpé
4 c. à soupe de vin blanc

Pour la vinaigrette à la moutarde

2 c. à soupe de vinaigre de vin à l'estragon
1 c. à café de moutarde de Dijon
1 c. à café de miel liquide
6 c. à soupe d'huile d'olive
sel et poivre noir

1 Mélangez tous les ingrédients de la marinade dans un plat creux en verre ou en céramique, assez grand pour que tous les morceaux y tiennent côte à côte.

2 Retournez le poulet dans la marinade, couvrez avec du film transparent et gardez au réfrigérateur pendant la nuit.

3 Préchauffez le four à 190°C/375°F/Th. 5. Mettez le poulet et la marinade dans un plat à feu, couvrez avec une feuille de papier d'aluminium et laissez cuire à cœur 35 min. environ. Laissez refroidir.

4 Mettez tous les ingrédients de la vinaigrette à la moutarde dans un bocal qui ferme bien, secouez pour émulsifier le mélange, vérifiez l'assaisonnement. (La vinaigrette peut se préparer plusieurs jours à l'avance et se garder au réfrigérateur.)

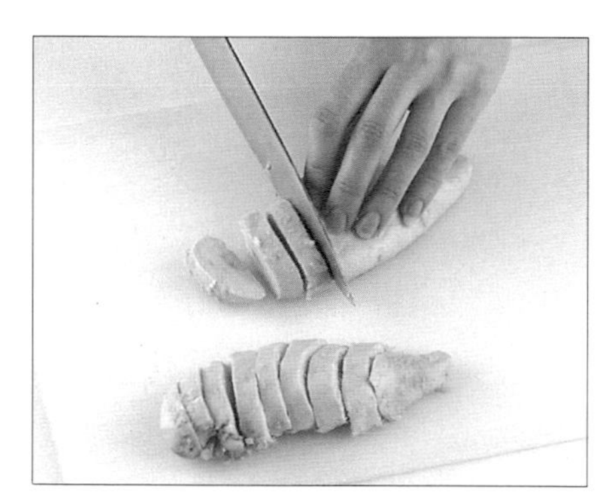

5 Découpez le poulet en éventail, disposez-le sur le plat de service, avec les feuilles de salade.

6 Arrosez de vinaigrette à la moutarde avec une cuillère et servez.

Poulet au citron en sauce guacamole

La sauce à l'avocat fait un accompagnement original pour le poulet grillé.

INGRÉDIENTS

Pour 4 personnes

jus de 2 citrons
3 c. à soupe d'huile d'olive
2 gousses d'ail écrasées
4 moitiés de blancs de poulet d'environ 200 g/7 oz chaque
2 grosses tomates rondes, évidées et coupées en deux
sel et poivre noir
coriandre fraîche hachée, pour garnir

Pour la sauce

1 avocat bien mûr
50 ml/2 fl oz de crème aigre
3 c. à soupe de jus de citron frais
1/2 c. à café de sel
50 ml/2 fl oz d'eau

1 Mélangez le jus de citron, l'huile, l'ail, la 1/2 cuillerée à café de sel et un peu de poivre dans un bol.

2 Disposez les blancs en une seule couche dans un plat creux en verre ou en céramique, versez le mélange au citron dessus, retournez le poulet pour bien l'en enduire. Couvrez et laissez reposer au moins 1 heure à la température ambiante, ou bien au réfrigérateur pendant la nuit.

3 Pour la sauce, coupez l'avocat en deux, enlevez le noyau et mettez la chair dans un mixer ou un robot.

4 Ajoutez la crème aigre, le jus de citron et le sel et mixez jusqu'à ce que le mélange soit homogène. Ajoutez l'eau et mixez brièvement. Au besoin, diluez la sauce en rajoutant un peu d'eau. Versez dans un bol, goûtez et rectifiez l'assaisonnement si nécessaire. Réservez.

5 Préchauffez le gril du four et, pendant ce temps, chauffez un gril en fonte, sortez le poulet de la marinade et essuyez-le au papier absorbant.

6 Quand le gril en fonte est bien chaud, mettez-y les blancs et faites griller 10 min., en retournant, jusqu'à complète cuisson.

7 Pendant ce temps, disposez les tomates sur une tôle, côté ouvert sur le dessus, et salez, poivrez légèrement. Mettez sous le gril du four et laissez griller les tomates jusqu'à ce qu'elles soient chaudes et fassent des cloques.

8 Pour servir, mettez un blanc de poulet, une demi-tomate et une cuillerée de sauce à l'avocat sur chaque assiette. Saupoudrez de coriandre fraîche et servez.

VARIANTE

Pour cuire le poulet au barbecue, allumez le barbecue et, lorsque les charbons rougeoient sous une petite couche de cendre grise, étalez-les pour former un lit uniforme. Posez un gril à claire-voie, huilé, de 12 cm/5 po environ au-dessus du charbon et faites griller les blancs 15 à 20 min., jusqu'à ce qu'ils soient bien cuits et légèrement noircis.

Kébabs de foie de poulet

Délicieux au barbecue, accompagnés de salades et de pommes de terre au four, ou sous le gril à l'intérieur, servis avec du riz et des brocolis.

INGRÉDIENTS

Pour 4 personnes

115 g/4 oz de lard maigre en tranches, sans couenne

350 g/12 oz de foies de poulet

12 pruneaux dénoyautés

12 tomates miniatures

8 petits champignons

2 c. à soupe d'huile d'olive

1 Coupez chaque tranche de lard en deux, enveloppez-en un foie de poulet et fermez avec un stick à cocktail en bois.

2 Introduisez les tomates miniatures dans les pruneaux dénoyautés.

3 Enfilez les foies bardés de lard sur des brochettes métalliques, ainsi que les pruneaux aux tomates. Huilez au pinceau. Couvrez les pruneaux et tomates d'un capuchon d'aluminium pour les protéger pendant la cuisson au gril ou au barbecue. Cuisez 5 min. de chaque côté.

4 Enlevez les sticks à cocktail et servez les brochettes immédiatement.

Kébabs aux agrumes

Servez sur un lit de laitue et garnissez avec de la menthe fraîche, de tranches d'orange et de citron.

INGRÉDIENTS

Pour 4 personnes

4 blancs de poulet, pelés et désossés
brins de menthe fraîche, pour garnir
tranches d'orange, de citron ou de citron vert, pour garnir (facultatif)

Pour la marinade

écorce (râpée fin) et jus d'une demi orange
écorce (râpée fin) et jus d'un demi-petit citron ou citron vert
2 c. à soupe d'huile d'olive
2 c. à soupe de miel liquide
2 c. à soupe de menthe fraîche
1/4 de c. à café de cumin en poudre
sel et poivre noir

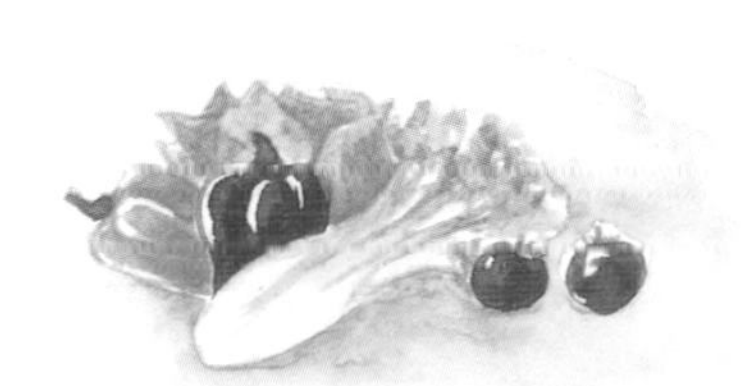

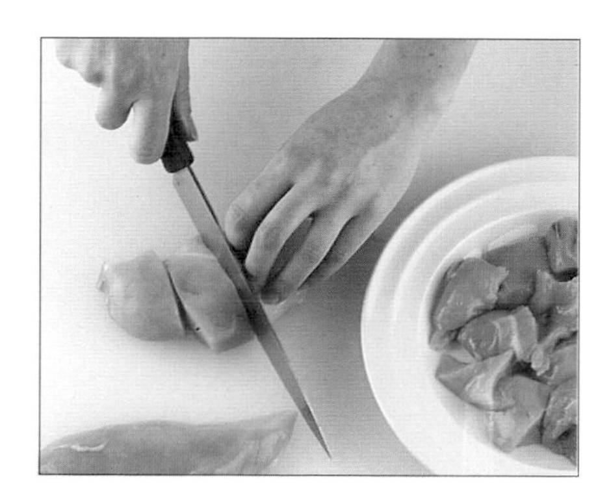

1 Coupez le poulet en cubes d'environ 2,5 cm/1 po de côté.

2 Mélangez les ingrédients de la marinade dans un bol en verre ou en céramique et mettez-y les cubes de poulet à mariner au moins 2 heures.

3 Enfilez les morceaux de poulet sur des brochettes et faites griller au gril ou sur le barbecue à feu doux 15 min., en arrosant de marinade et en retournant souvent. Servez avec d'autres feuilles de menthe des tranches d'agrumes, si vous le souhaitez.

Poulet « satay »

Laissez le poulet mariner une nuit dans la sauce satay pour qu'il soit bien parfumé. Faites tremper les brochettes de bois une nuit dans l'eau. Elles ne brûleront pas pendant la cuisson.

INGRÉDIENTS

Pour 4 personnes
4 blancs de poulet
tranches de citron, pour garnir
feuilles de laitue, pour garnir
petits oignons, pour servir

Pour la sauce satay
115 g/4 oz de beurre de cacahuètes « crunchy »
1 oignon de petite taille haché
1 gousse d'ail écrasée
2 c. à soupe de chutney
4 c. à soupe d'huile d'olive
1 c. à café de sauce soja
2 c. à soupe de jus de citron
1/4 de c. à café de piment en poudre ou de poivre de Cayenne

1 Mettez tous les ingrédients du satay dans un mixer ou un robot, et réduisez en une pâte lisse. Versez dans un plat.

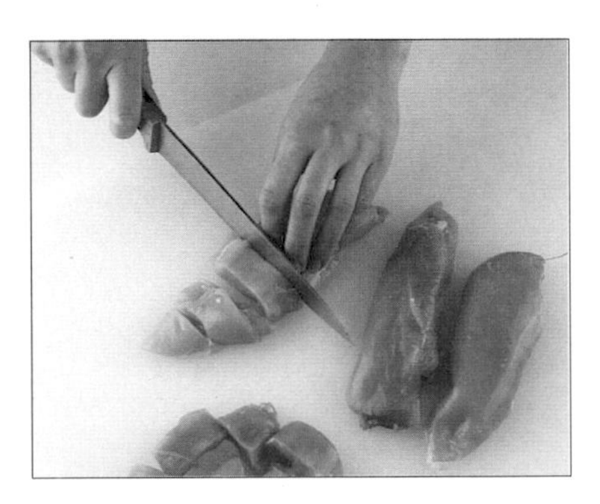

2 Désossez le poulet, enlevez la peau et coupez en cubes de 2,5 cm/1 po. Versez le poulet dans le satay et mélangez pour que les cubes soit bien recouverts. Couvrez avec du film transparent et réfrigérez 4 heures ou, mieux, une nuit.

3 Préchauffez le gril ou le barbecue. Enfilez les cubes de poulet sur les brochettes.

4 Laissez griller 10 min. en remettant de temps en temps de la sauce sur la viande. Servez sur un lit de laitue avec des petits oignons et garnissez de tranches de citron.

Salade au poulet et aux pâtes

L'art d'accommoder des restes de poulet froid en un plat délicieux.

INGRÉDIENTS

Pour 4 personnes

225 g/8 oz de pâtes tortillons tricolores
2 c. à soupe de sauce au pistou
1 c. à soupe d'huile d'olive
1 grosse tomate ronde
12 olives noires dénoyautées
225 g/8 oz de haricots verts cuits
350 g/12 oz de poulet froid, en cubes
sel et poivre noir
basilic frais, pour garnir

1 Cuisez les pâtes al dente dans une bonne quantité d'eau bouillante salée (environ 12 min. ou le temps indiqué sur le paquet).

2 Égouttez les pâtes et rincez abondamment à l'eau froide. Mettez dans un saladier et ajoutez la sauce au pistou et l'huile d'olive en remuant bien.

3 Pelez la tomate après l'avoir plongée 10 secondes dans l'eau bouillante, puis dans de l'eau froide (ce qui permet à la peau de bien se détacher).

4 Coupez-la en petits cubes et ajoutez-la aux pâtes, ainsi que les olives, le sel et le poivre, les haricots verts coupés en morceaux de 4 cm/1 1/2 po, puis le poulet. Remuez bien pour mélanger le tout et dressez sur un plat de service. Garnissez avec du basilic frais.

Poulet au barbecue à la jamaïcaine

On enduit le poulet d'un mélange d'herbes et d'épices avant de le faire griller au barbecue sur un lit de braises parsemé de baies de piment doux. Cette recette était initialement réservée au porc, à la Jamaïque.

INGRÉDIENTS

Pour 4 personnes

8 morceaux de poulet

Pour la marinade

1 c. à café de quatre-épices en poudre
1 c. à café de cannelle en poudre
1 c. à café de thym séché
1,5 ml/$^{1}/_{4}$ de c. à café de noix de muscade fraîchement râpée
2 c. à café de sucre roux
2 gousses d'ail écrasées
1 c. à soupe d'oignon haché fin
1 c. à soupe de petit oignon haché fin
1 c. à soupe de vinaigre
2 c. à soupe d'huile
1 c. à soupe de jus de citron vert
1 piment, coupé fin
sel et poivre noir
feuilles de salade, pour servir

1 Mélangez les ingrédients de la marinade dans un bol et écrasez-les à la fourchette.

2 Disposez les morceaux de poulet sur un plat ou une planche et pratiquez plusieurs entailles longitudinales dans la chair. Frottez le poulet avec la marinade, en la faisant pénétrer dans les entailles.

3 Mettez le poulet dans un plat, couvrez de film transparent et laissez mariner une nuit au réfrigérateur. Le lendemain, secouez les morceaux pour ôter l'excès de marinade, huilez au pinceau et disposez sur une tôle (pour une cuisson à l'intérieur) ou sur le barbecue.

4 Cuisez 45 min. sous un gril préchauffé, en retournant fréquemment. Au barbecue, quand les braises sont prêtes, faites griller 30 min. en retournant souvent. Servez bien chaud, avec les feuilles de salade.

ASTUCE

Le poulet sera encore plus parfumé si on le laisse mariner une nuit.

Grillade de coquelets embrochés « à l'écartée »

Coquelets grillés servis avec une sauce à l'oignon et aux fines herbes.

INGRÉDIENTS

Pour 4 personnes

4 coquelets d'environ 450 g/1 lb chaque, embrochés « à l'écartée »
huile d'olive
sel et poivre noir

Sauce à l'oignon et aux fines herbes

2 c. à soupe de sherry sec (blanc)
2 c. à soupe de jus de citron
2 c. à soupe d'huile d'olive
50 g/2 oz de petits oignons hachés
1 gousse d'ail hachée fin
4 c. à soupe de fines herbes variées, estragon, persil, thym, marjolaine

1 Préchauffez le gril à la température maximale ou préparez un barbecue.

2 Salez, poivrez les coquelets embrochés, enduisez-les d'huile d'olive au pinceau. Disposez-les sur la grille de la lèchefrite du gril, environ 10 cm/4 po en dessous de la source de chaleur, ou 15 cm/6 po au-dessus des braises si l'on cuit au barbecue.

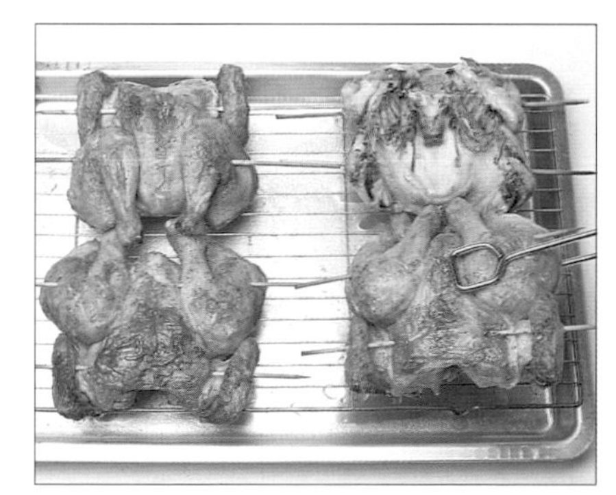

3 Laissez cuire à cœur 20 à 25 min. Retournez et arrosez d'huile d'olive à mi-cuisson.

4 Pour préparer la sauce pendant ce temps, mélangez en battant bien le sherry, le jus de citron, l'huile d'olive, les petits oignons et l'ail. Salez, poivrez.

5 Les coquelets cuits, dressez-les sur un plat de service creux. Ajoutez les fines herbes à la sauce en battant bien et versez la sauce à la cuillère sur les coquelets. Couvrez hermétiquement avec un autre plat ou une feuille de papier d'aluminium et laissez reposer 15 min. avant de servir.

Salade de poulet à la chinoise

Le poulet est servi avec une sauce aux cacahuètes riche en goût.

INGRÉDIENTS

Pour 4 personnes

4 blancs de poulet désossés d'environ 175 g/6 oz chaque
4 c. à soupe de sauce soja
poudre de cinq-épices chinoises
une bonne giclée de jus de citron
1/2 concombre, pelé et coupé en allumettes
1 c. à café de sel
3 c. à soupe d'huile de tournesol
2 c. à soupe d'huile de sésame
1 c. à soupe de graines de sésame
2 c. à soupe de sherry sec (blanc)
2 carottes coupées en allumettes
8 petits oignons coupés en fines lanières
75 g/3 oz de pousses de soja

Pour la sauce

4 c. à soupe de beurre de cacahuète « crunchy »
2 c. à soupe de jus de citron
2 c. à soupe d'huile de sésame
1/4 de c. à café de piment en poudre
1 petit oignon haché fin

1 Mettez les portions de poulet dans une grande casserole et couvrez d'eau. Ajoutez 1 c. à soupe de sauce soja, 1 pincée de cinq-épices chinoises, le jus de citron, couvrez et portez à ébullition, puis laissez mijoter 20 min.

2 Saupoudrez de sel les allumettes de concombre dans un égouttoir, et couvrez avec une assiette maintenue par un poids ou un objet lourd. Laissez dégorger 30 min.

3 Chauffez les huiles dans une grande poêle ou un wok. Faites griller les graines de sésame 30 secondes, puis versez le reste de la sauce soja et le sherry. Faites revenir les carottes 2 à 3 min. Sortez de la poêle et réservez.

4 Sortez le poulet de la casserole et laissez tiédir jusqu'à ce qu'on puisse le manipuler sans se brûler. Enlevez la peau et battez un peu les morceaux au rouleau à pâtisserie pour distendre les fibres de la viande. Coupez en lanières et réservez.

5 Rincez le concombre, essuyez avec du papier absorbant et mettez dans un bol. Ajoutez les petits oignons, les pousses de bambou, les carottes sautées, les jus de cuisson de la poêle, le poulet en lanières, et mélangez le tout. Couvrez et mettez à rafraîchir une heure en remuant une ou deux fois pour imprégner le mélange de jus.

6 Pour la sauce : mélangez le beurre de cacahuète, le jus de citron, l'huile de sésame, le piment, avec un peu d'eau chaude pour former une pâte. Versez sur la préparation de poulet. Servez dans un plat avec le beurre de cacahuète.

Pâtes « fusilli » au poulet, aux tomates et aux brocolis

Un plat unique nourrissant pour une petite famille affamée.

INGRÉDIENTS

Pour 4 personnes

675 g/1 1/2 lb de tomates Roma mûres mais fermes, coupées en quatre
6 c. à soupe d'huile d'olive
1 c. à café d'origan séché
sel et poivre noir
350 g/12 oz de fleurettes de brocoli
1 oignon de petite taille, coupé en lamelles
1 c. à café de thym séché
450 g/1 lb de blanc de poulet désossé, pelé, et coupé en cubes
3 gousses d'ail écrasées
1 c. à soupe de jus de citron frais
450 g/1 lb de pâtes « fusilli »

1 Préchauffez le four à 200°C/400°F/Th 6.

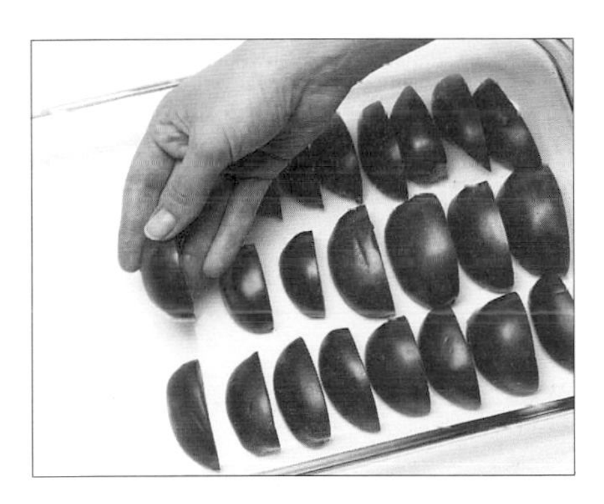

2 Disposez les tomates dans un plat à feu. Arrosez de 1 c. à soupe d'huile et saupoudrez d'origan et de 1/2 c. à café de sel. Remuez pour mélanger le tout.

3 Dorez les tomates 30 à 40 min. environ. Ne remuez pas en cours de cuisson.

4 Pendant ce temps, faites bouillir une grande casserole d'eau salée et cuisez-y les brocolis al dente, soit environ 5 min. Égouttez et réservez. (On peut aussi les cuire à la vapeur.)

5 Chauffez 2 c. à soupe d'huile dans une grande poêle teflon et jetez-y l'oignon, le thym, les cubes de poulet et la 1/2 c. à café de sel. Faites revenir à feu très vif 5 à 7 min., en remuant souvent, jusqu'à ce que la viande soit cuite. Ajoutez l'ail et cuisez 1 min. de plus tout en remuant.

6 Retirez du feu. Ajoutez le jus de citron et le poivre, tout en remuant. Réservez au chaud en attendant que les pâtes soient cuites.

7 Faites bouillir encore une grande casserole d'eau salée, jetez-y les fusilli et cuisez-les al dente (pour le minutage, voyez les instructions données sur le paquet). Égouttez et versez dans un grand saladier. Retournez en ajoutant le reste de l'huile.

8 Incorporez les brocolis au mélange de poulet, ajoutez les fusilli, puis les tomates et remuez avec précaution pour bien mélanger tout. Servez immédiatement.

Salade au poulet, au gruyère et à la langue de bœuf

Le cresson « poivre », la menthe rafraîchit cette salade servie avec des pommes de terre nouvelles.

INGRÉDIENTS

Pour 4 personnes

2 blancs de poulet de grain élevé en liberté, pelés et désossés
1/2 cube de bouillon de poulet
225 g/8 oz de langue de bœuf ou de jambon tranche épais
225 g/8 oz de gruyère
1 salade lollo rosso
1 laitue ou une batavia
1 botte de cresson
2 pommes vertes, épépinées tranchées
3 branches de céleri, coupées en lamelles
4 c. à soupe de graines de sésame grillées
sel, poivre noir et muscade

Pour l'assaisonnement

5 c. à soupe d'huile (arachide, tournesol)
1 c. à café d'huile de sésame
3 c. à soupe de jus de citron
2 c. à café de menthe fraîche hachée
3 gouttes de sauce Tabasco

1 Mettez les blancs de poulet dans une petite casserole, couvrez de 300 ml/1/2 pinte d'eau, ajoutez le demi-cube de bouillon de poulet et portez à ébullition. Couvrez et laissez mijoter 15 min. Égouttez, réservez le bouillon pour une autre occasion, refroidissez le poulet en le passant sous l'eau froide.

2 Pour l'assaisonnement, mettez les deux huiles, le jus de citron, la menthe et la sauce Tabasco dans un bocal à couvercle qui ferme et secouez. Coupez le poulet, la langue et le gruyère en fines lanières. Versez un peu d'assaisonnement dessus et mettez en attente.

3 Mélangez la salade, la pomme et le céleri dans un saladier, ajoutez l'assaisonnement et remuez. Répartissez entre 4 grandes assiettes. Déposez un petit tas de poulet, langue, gruyère au centre de l'assiette, saupoudrez de graines de sésame, salez, poivrez et ajoutez une pointe de noix de muscade fraîchement râpée. Servez.

Salade aux foies de poulet, aux lardons et à la tomate

Les salades chaudes sont particulièrement appréciées en automne, quand les soirées se font fraîches et raccourcissent. Essayez cette riche salade avec des feuilles d'épinard frais et de la frisée.

INGRÉDIENTS

Pour 4 personnes

225 g/8 oz d'épinard côtes ôtées
1 frisée
7 c. à soupe d'huile (arachide, tournesol)
175 g/6 oz de lard non fumé découenné, en lamelles
75 g/3 oz de pain vieux de trois jours, sans croûte, et coupé en mouillettes
450 g/1 lb de foies de poulet
115 g/4 oz de tomates miniatures
sel et poivre noir

1 Mettez la salade dans un saladier. Chauffez 4 c. à soupe d'huile dans une grande poêle. Faites dorer le lard 3 à 4 min. Sortez-le de la poêle avec une écumoire et égouttez-le sur du papier absorbant.

2 Pour les croûtons, faites dorer le pain dans l'huile parfumée au lard, en remuant souvent.

3 Chauffez le reste de l'huile – 3 c. à soupe – dans la poêle et faites-y revenir les foies de poulet 2 à 3 min. à grand feu. Mettez les foies sur la salade, ajoutez les lardons, les croûtons et les tomates, salez, poivrez et retournez bien. Servez.

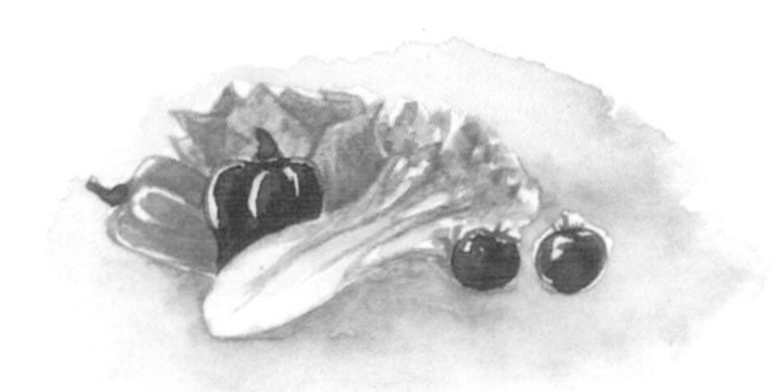

Salade au riz sauvage et au poulet

Une salade très facile à réaliser une fois que le riz est cuit.

INGRÉDIENTS

Pour 4 personnes

175 g/6 oz de riz sauvage (poids sec), cuit à l'eau ou à la vapeur
2 branches de céleri, coupées fin
50 g/2 oz de petits oignons hachés
115 g/4 oz de petits champignons, coupés en quatre
450 g/1 lb de dés de blancs de poulet cuits
120 ml/4 fl oz de vinaigrette
1 c. à café de feuilles de thym
2 poires pelées, en deux
25 g/1 oz de brisures de noix grillées

1 Mélangez dans un saladier le riz sauvage cuit et refroidi, le céleri, les petits oignons, les champignons et le poulet.

2 Versez la vinaigrette et le thym et retournez bien la salade.

3 Coupez la poire en très fines tranches sans les détacher complètement du côté de la queue et étalez les tranches en éventail. Répartissez la salade entre 4 assiettes, garnissez chacune d'une demi-poire en éventail et de noix.

CUIRE LE RIZ SAUVAGE

À l'eau : Versez le riz dans une grande casserole d'eau bouillante salée (environ 4 parts d'eau pour une de riz). Laissez cuire à petit bouillon 45 à 50 min. (le riz doit être tendre mais ferme et les grains doivent commencer à s'ouvrir). Égouttez.

À l'étouffée : Mettez le riz dans une casserole avec la quantité d'eau salée requise (voir ci-dessus). Portez à ébullition, couvrez et laissez cuire à l'étouffée à feu très doux 45 à 50 min., jusqu'à ce que le riz soit bien tendre. Découvrez pendant les 5 dernières min. de cuisson, pour laisser évaporer le reste d'eau.

Foies de poulet en salade chaude

Ce délicieux mariage de saveurs constituera une belle entrée ou un repas léger, accompagné d'un pain croustillant pour saucer.

INGRÉDIENTS

Pour 4 personnes

115 g/4 oz de jeunes feuilles d'épinard, de roquette et de lollo rosso
2 pamplemousses roses
6 c. à soupe d'huile de tournesol
2 c. à soupe d'huile de sésame
2 c. à soupe de sauce soja
225 g/8 oz de foies de poulet coupés en petits morceaux
sel et poivre noir

1 Lavez, égouttez toutes les feuilles de salade, puis déchirez-les en morceaux. Mélangez dans un grand saladier.

2 Pelez soigneusement les pamplemousses, de façon à enlever aussi la peau blanche, divisez en quartiers en conservant le jus. Ajoutez le pamplemousse à la salade.

3 Pour l'assaisonnement, mélangez 4 c. à soupe d'huile de tournesol et l'huile de sésame, la sauce soja, le sel et le poivre, et le jus de pamplemousse.

4 Chauffez le reste de l'huile de tournesol dans une petite poêle et faites dorer les foies en remuant doucement.

5 Versez les foies de poulet et l'assaisonnement sur la salade et servez immédiatement.

ASTUCE

Les foies de poulet ou de dinde conviennent idéalement à cette recette. On n'a pas besoin de les décongeler complètement avant de les cuire.

Salade de poulet aux oranges

Une salade de riz rafraîchissante et délicatement parfumée.

INGRÉDIENTS

Pour 4 personnes

3 grosses oranges sans pépins
175 g/6 oz de riz long grain
475 ml/16 fl oz d'eau
175 ml/6 fl oz de vinaigrette à base de vinaigre de vin rouge et de deux huiles (huile d'olive et une autre huile végétale)
2 c. à café de moutarde de Dijon
1/2 c. à café de sucre cristallisé
450 g/1lb de poulet froid, coupé en dés
3 c. à soupe de ciboulette hachée
75 g/3 oz de noix de cajou grillées
sel et poivre noir
tranches de concombre, pour garnir

1 Pelez une orange en laissant la peau blanche située sous l'écorce.

2 Mettez l'écorce, le riz et l'eau dans une casserole avec une pincée de sel. Portez à ébullition, couvrez et cuisez à l'étouffée à feu très doux 15 à 18 min. (le riz doit être cuit et l'eau absorbée).

3 Pelez les oranges qui restent et coupez en quartiers, en réservant le jus. Versez le jus dans la vinaigrette, ajoutez la moutarde et le sucre en battant pour bien mélanger. Goûtez et salez-poivrez si nécessaire.

4 Le riz cuit, retirez-le du feu et laissez un peu refroidir, sans couvercle. Jetez l'écorce d'orange.

5 Mettez le riz dans un saladier avec la moitié de la vinaigrette, retournez bien et laissez refroidir complètement.

6 Mettez le poulet, la ciboulette, les noix de cajou et les quartiers d'orange dans le riz, avec le reste de la vinaigrette. Retournez avec précaution. Servez à température ambiante, garni de concombre.

Faire une vinaigrette

Une bonne vinaigrette peut faire bien plus qu'assaisonner une salade. Elle peut aussi servir comme sauce pour arroser la viande, la volaille, des fruits de mer ou des légumes pendant la cuisson. Ou comme marinade pour parfumer et attendrir une viande. Le mélange de base – huile, vinaigre, sel et poivre – se prête à de nombreuses variations.

La vinaigrette peut se conserver au réfrigérateur plusieurs semaines, dans un récipient hermétique. Mais les aromates, et surtout les herbes, sont à rajouter au dernier moment.

INGRÉDIENTS

Pour faire un peu plus de 175 ml/6 fl oz de vinaigrette

3 c. à soupe de vinaigre de vin
sel et poivre
150 ml/1/4 pinte d'huile végétale

1 Mettez le vinaigre, le sel et le poivre dans un bol et battez pour dissoudre le sel. Ajoutez l'huile peu à peu, en remuant avec un fouet. Goûtez et rectifiez au besoin.

Salade de poulet grillé à la lavande

De la lavande dans une salade ? Cela peut étonner mais son délicieux parfum s'accorde naturellement avec les saveurs de l'ail, de l'orange et d'autres herbes sauvages. Accompagnée de polenta, cette salade fait un repas nourrissant autant que délectable.

INGRÉDIENTS

Pour 4 personnes

4 blancs de poulet désossés
900 ml/1 1/2 pinte de bouillon de poulet
175 g/6 oz de polenta, mouture fine
4 c. à soupe de beurre
450 g/1 lb de jeunes épinards
175 g/6 oz de mâche
8 brins de lavande fraîche
8 petites tomates, coupées en deux
sel et poivre noir

Marinade à la lavande

6 brins de lavande en fleur
2 c. à café d'écorce d'orange, râpée fin
2 gousses d'ail écrasées
2 c. à café de miel liquide
sel
2 c. à soupe d'huile d'olive
2 c. à café de thym frais haché
2 c. à café de marjolaine fraîche hachée

1 Pour la marinade, égrénez les fleurs des brins de lavande, mettez-les dans un bol avec l'écorce d'orange, l'ail, le miel et le sel. Ajoutez l'huile d'olive et les herbes. Pratiquez de profondes entailles dans le poulet et laissez mariner dans un endroit frais 20 min. au moins.

2 Pour la polenta, portez le bouillon à ébullition dans une casserole à fond épais. Versez la polenta en pluie régulière tout en remuant, jusqu'à ce que le mélange épaississe, 2 à 3 min. Versez la polenta cuite dans un plat creux (profond de 2,5 cm/1 po) et beurré, et laissez refroidir.

3 Chauffez le gril à température modérée (pour le barbecue, attendez que les charbons fassent de la braise). Grillez le poulet 15 min. environ, en retournant une fois.

4 Découpez la polenta en cubes de 2,5 cm/1 po de côté, avec un couteau humide. Chauffez le beurre dans une grande poêle et faites dorer la polenta à feu vif.

5 Lavez la mâche, essorez et répartissez entre 4 assiettes. Coupez chaque blanc en tranches et présentez sur le lit de salade. Parsemez la salade de cubes de polenta, décorez de brins de lavande et de tomates, salez, poivrez, et servez.

Salade « Maryland »

Ce mariage du poulet grillé au barbecue avec du maïs, du lard, de la banane et du cresson fait une salade spectaculaire, voire un plat de résistance.

INGRÉDIENTS

Pour 4 personnes

4 blancs de poulet désossés
225 g/8 oz de lard non fumé, sans couenne
4 épis de maïs
3 c. à soupe de beurre ramolli
4 bananes bien mûres, pelées et coupées en deux
4 tomates fermes, coupées en deux
1 scarole ou une laitue
1 botte de cresson
sel et poivre noir

Pour l'assaisonnement

5 c. à soupe d'huile d'arachide
1 c. à soupe de vinaigre de vin blanc
2 c. à soupe de sirop d'érable
2 c. à soupe de moutarde pas forte

1 Salez, poivrez les blancs de poulet, enduisez d'huile au pinceau et cuisez au barbecue ou au gril 15 min. en retournant une fois. Cuisez le lard 8 à 10 min.

2 Faites bouillir une grande casserole d'eau salée. Pelez et nettoyez les épis de maïs et cuisez-les 20 min. à gros bouillon. Beurrez-les et dorez-les au barbecue ou sous le gril. Passez les bananes et les tomates au gril ou au barbecue 6 à 8 min.

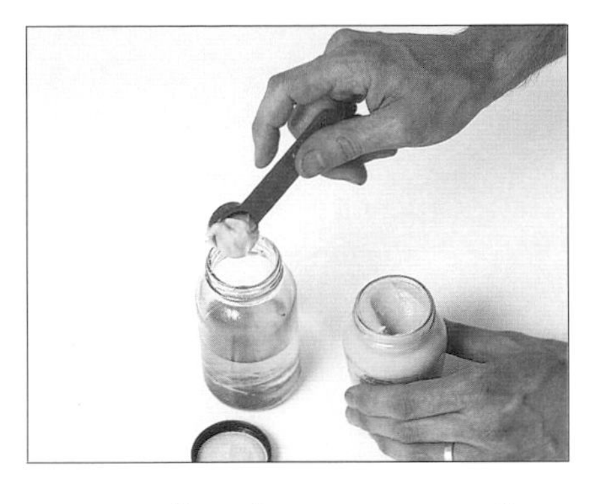

3 Pour l'assaisonnement, mélangez l'huile, le vinaigre, le sirop d'érable, la moutarde, le sel et le poivre, et 1 c. à soupe d'eau dans un bocal fermant. Secouez bien.

4 Lavez la salade, essorez bien, et assaisonnez.

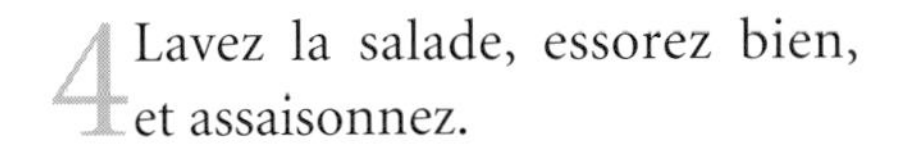

5 Répartissez la salade entre 4 grandes assiettes. Coupez le poulet en tranches et disposez sur le lit de salade avec le lard, la banane, le maïs et les tomates. Servez avec les pommes de terre en robe des champs et une noix de beurre.

Poulet grillé et salade « Pico de Gallo »

Ce plat est fondé sur l'alliance de saveurs fruitées et épicées qui caractérise la cuisine texano-mexicaine.

INGRÉDIENTS

Pour 4 personnes

4 blancs de poulet
une pincée de sel de céleri et de poivre de Cayenne mélangés
2 c. à soupe d'huile végétale
chips de maïs, pour servir

Pour la salade :

275 g/10 oz de pastèque
175 g/6 oz de melon cantaloup
1 oignon rouge de petite taille
1 ou 2 piments verts
2 c. à soupe de jus de citron vert
4 c. à soupe de coriandre fraîche hachée
1 pincée de sel

1 Préchauffez le gril à température modérée. Entaillez profondément les blancs de poulet pour accélérer la cuisson.

2 Assaisonnez le poulet avec le sel de céleri et le poivre de Cayenne, huilez au pinceau et faites griller 15 min. environ.

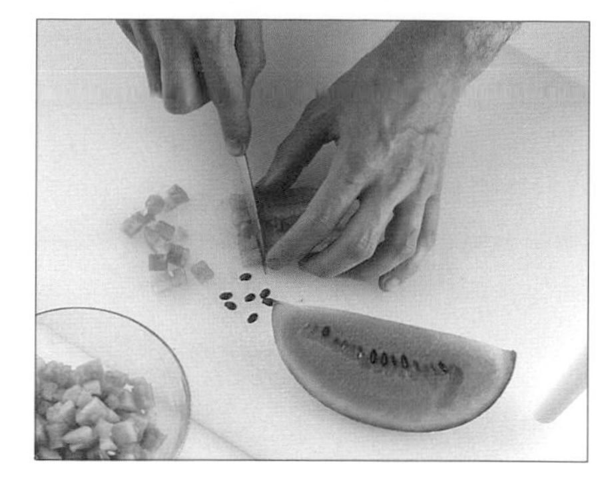

3 Pour la sauce, pelez et épépinez la pastèque et le melon aussi bien que possible, coupez en petits dés et mettez dans un bol.

4 Hachez l'oignon, ouvrez les piments en deux (en enlevant les pépins qui donnent l'essentiel du goût épicé) et coupez fin. Mélangez au melon et à la pastèque.

5 Ajoutez le jus de citron vert et la coriandre, salez. Mettez cette salade dans un petit bol.

6 Disposez le poulet grillé sur un plat et servez avec la salade et une poignée de chips au maïs.

ASTUCE

Pour se mettre vraiment dans l'ambiance de la cuisine texano-mexicaine, cuisez le poulet au barbecue et mangez à l'ombre, un jour de grosse chaleur estivale.

Poulet du couronnement

Un des plats favoris de l'été, à servir avec une salade verte bien croquante.

INGRÉDIENTS

Pour 8 personnes

$^1/_2$ citron
1 poulet de 2,250 kg/5 à $5^1/_4$ lb
1 oignon coupé en quatre
1 carotte coupée en quatre
un gros bouquet garni
8 grains de poivre noir écrasés
sel
brins de cresson, pour garnir

Pour la sauce

1 oignon de petite taille, haché
1 c. à soupe de beurre
1 c. à soupe de curry en purée
1 c. à soupe de purée de tomate
120 ml/4 fl oz de vin rouge
1 feuille de laurier
le jus d'un demi-citron ou plus, selon le goût de chacun
2 à 3 c. à café de confiture d'abricots
300 ml/$^1/_2$ pinte de mayonnaise
120 ml/4 fl oz de crème fouettée
sel et poivre noir

1 Introduisez le demi-citron à l'intérieur du poulet, mettez le poulet dans une casserole à sa taille. Ajoutez les légumes, le bouquet garni, les grains de poivre et le sel.

2 Versez assez d'eau pour couvrir le poulet aux deux tiers (en hauteur), portez à ébullition, couvrez et laissez cuire à feu doux 1 h 30, jusqu'à ce que le jus soit limpide.

3 Mettez le poulet dans un grand saladier, versez le liquide de cuisson et laissez refroidir. Enlevez la peau, désossez, coupez en morceaux.

4 Pour la sauce, ramollissez l'oignon au beurre. Ajoutez le curry en purée, la purée de tomates, le vin, laurier et jus de citron, puis cuisez 10 min. Ajoutez la confiture d'abricots, tamisez, laissez refroidir.

5 Mélangez la sauce et la mayonnaise en battant bien. Incorporez la crème fouettée, salez, poivrez, puis ajoutez le poulet en remuant bien. Garnissez de cresson.

Poulet aux cacahuètes en barque d'ananas

Un plat spectaculaire qu'on aimera servir à des invités.

INGRÉDIENTS

Pour 4 personnes

2 petits ananas bien mûrs
225 g/8 oz de blancs de poulet froid, coupés en bouchée
2 branches de céleri, coupées petit
50 g/2 oz de petits oignons hachés (on utilise le blanc et le vert)
225 g/8 oz de raisins blancs sans pépins
40 g/1 1/2 oz de cacahuètes salées, grossièrement pilées

Pour l'assaisonnement

75 g/3 oz de beurre de cacahuètes lisse
120 ml/4 fl oz de mayonnaise
2 c. à soupe de crème fraîche ou de lait
1 gousse d'ail, hachée fin
1 c. à café de poudre de curry doux
1 c. à soupe de confiture d'abricots
sel et poivre noir

1 Pour faire les 4 « barques » coupez les ananas en deux, évidez la chair et coupez-la en dés.

2 Mélangez les morceaux d'ananas, le poulet, le céleri, les petits oignons et le raisin dans un bol.

3 Mettez tous les ingrédients de l'assaisonnement dans un autre bol et mélangez bien avec un fouet ou une cuillère en bois. Salez, poivrez. (Le mélange sera un peu épais mais le jus de l'ananas le délaiera.)

4 Versez l'assaisonnement sur la préparation à base de poulet et mélangez bien en retournant délicatement.

5 Répartissez la salade de poulet entre les barques d'ananas, parsemez de cacahuètes et servez.

Salade chaude au poulet et à la coriandre

Cette salade doit être servie chaude pour bien profiter des superbes saveurs du sésame et de la coriandre. Elle fait une jolie entrée ou un déjeuner léger.

INGRÉDIENTS

Pour 6 personnes

4 blancs de poulet de taille moyenne, désossés et pelés
225 g/8 oz de mange-tout
2 salades décoratives, telles que la lollo rosso ou la feuille de chêne
3 carottes pelées et coupées en fines allumettes
175 g/6 oz de petits champignons, coupés en lamelles
6 tranches de lard sauté, coupé en petits lardons
1 c. à soupe de coriandre fraîche hachée, pour garnir

Pour l'assaisonnement

120 ml/4 fl oz de jus de citron
2 c. à soupe de moutarde à l'ancienne
250 ml/8 fl oz d'huile d'olive
4 c. à soupe d'huile de sésame
1 c. à café de graines de coriandre, écrasées

1 Mélangez les ingrédients de l'assaisonnement dans un bol. Disposez les blancs de poulet dans un plat creux et versez la moitié de l'assaisonnement. Mettez au réfrigérateur pendant la nuit et conservez-y le reste de l'assaisonnement.

2 Cuisez les mange-tout 2 min. à l'eau bouillante, puis passez-les sous l'eau froide pour arrêter la cuisson. Déchirez les feuilles de salade en petits morceaux, ajoutez les autres ingrédients de la salade et les lardons. Présentez sur les assiettes.

3 Passez les blancs de poulet au gril jusqu'à ce qu'ils soient bien cuits, puis coupez-les transversalement en lanières assez fines. Répartissez entre les assiettes et versez un peu d'assaisonnement. Mélangez rapidement et saupoudrez de coriandre.

Kébabs à l'aigre-douce

Il faut faire griller ces brochettes très lentement, en retournant souvent, car cette marinade contient du sucre et brûle très facilement. Servez avec du riz Arlequin.

INGRÉDIENTS

Pour 4 personnes

2 blancs de poulet désossés et pelés
8 oignons blancs de petite taille ou 2 oignons moyens, pelés
4 tranches de lard maigre
3 bananes fermes
1 poivron rouge, épépiné, coupé

Pour la marinade

2 c. à soupe de cassonade
1 c. à soupe de sauce Worcester
2 c. à soupe de jus de citron
sel et poivre noir

Pour le riz Arlequin

2 c. à soupe d'huile d'olive
225 g/8 oz de riz cuit
115 g/4 oz de petits pois cuits
1 petit poivron rouge, épépiné et coupé en petits morceaux

1 Mélangez les ingrédients de la marinade. Coupez chaque blanc de poulet en quatre, mettez les morceaux dans la marinade, couvrez et laissez mariner au moins 4 h, ou une nuit au réfrigérateur.

2 Pelez les petits oignons blancs, blanchissez-les à l'eau bouillante 5 min., puis égouttez. Pour des oignons de taille moyenne, coupez-les en quatre après les avoir blanchis.

3 Coupez chaque tranche de lard en deux, pelez les bananes et coupez-les en trois. Enveloppez chaque morceau de banane dans une barde de lard.

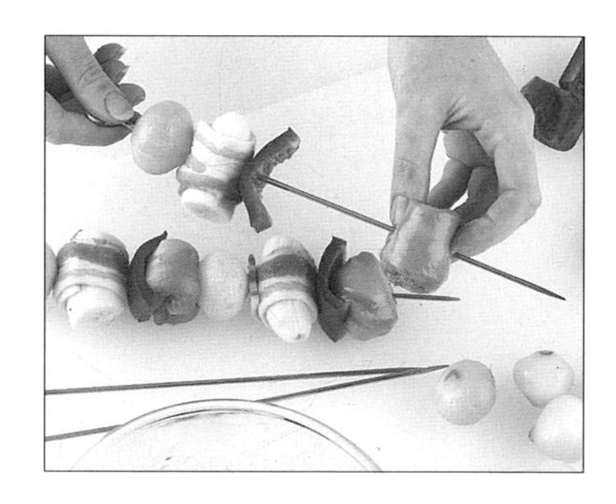

4 Enfilez les morceaux de poulet, les oignons et le poivron sur des brochettes métalliques et enduisez-les de marinade au pinceau.

5 Cuisez au gril ou au barbecue 15 min. en retournant fréquemment et en arrosant souvent avec la marinade. Gardez au chaud pendant la préparation du riz.

6 Chauffez l'huile dans une poêle et faites revenir le riz, les petits pois et le poivron. Continuez jusqu'à ce que tout soit bien chaud et servez avec les brochettes.

Salade de poulet aux fruits

Une salade très rapide à préparer pour le déjeuner si l'on cuit les poulets la veille.

INGRÉDIENTS

Pour 8 personnes

4 brins d'estragon ou de romarin
2 poulets de 1,750 kg/4 lb
5 c. à soupe de beurre ramolli
150 ml/1/4 pinte de bouillon de poulet
150 ml/1/4 pinte de vin blanc
115 g/4 oz de brisures de noix
1 petit melon cantaloup
quelques feuilles de laitue
450 g/1 lb de raisins sans pépins ou de cerises dénoyautées
sel et poivre noir fraîchement moulu

Pour l'assaisonnement

2 c. à soupe de vinaigre d'estragon
120 ml/4 fl oz d'huile d'olive
2 c. à soupe de fines herbes hachées, persil, menthe et estragon

1 Préchauffez le four à 200°C/400°F/Th. 6. Garnissez l'intérieur des poulets avec les herbes, du sel et du poivre. Bridez les poulets. Frottez-les avec 4 c. à soupe de beurre ramolli, mettez dans un plat à feu et versez le bouillon dessus. Couvrez de papier aluminium sans fermer et laissez cuire 1 h 30 environ en arrosant deux fois, jusqu'à ce que les poulets soient bien dorés et le jus limpide. Sortez les poulets du plat.

2 Versez le vin blanc dans le jus de cuisson du plat, portez à ébullition et cuisez jusqu'à ce que le mélange devienne sirupeux. Tamisez et laissez refroidir. Chauffez le reste du beurre dans une poêle et faites doucement dorer les morceaux de noix. Egouttez et laissez refroidir. Évidez le melon et coupez la chair en boules ou en cubes. Découpez les poulets en morceaux.

3 Pour l'assaisonnement, battez l'huile et le vinaigre avec un peu de sel et de poivre noir. Dégraissez bien le jus de cuisson des poulets et ajoutez-le à la vinaigrette, ainsi que les herbes. Salez, poivrez si nécessaire.

4 Disposez les morceaux de poulet sur un lit de laitue, parsemez le plat de grains de raisin ou de cerises dénoyautées, de boules ou de cubes de melon, et arrosez de vinaigrette aux herbes. Saupoudrez de noix grillées.

Poulet sauté en salade chaude

Les salade chaudes sont de plus en plus appréciées parce qu'elles sont aussi délicieuses que nourrissantes. Préparez un lit de salade sur quatre assiettes afin de pouvoir y mettre le poulet dès qu'il sera prêt : ainsi la salade restera croquante et le poulet chaud.

INGRÉDIENTS

Pour 4 personnes

1 c. à soupe d'estragon frais
2 blancs de poulet d'environ 225 g/8 oz chaque, désossés et pelés
1 morceau de gingembre frais d'environ 5 cm/2 po de long, pelé et haché fin
3 c. à soupe de sauce soja
1 c. à soupe de sucre
1 c. à soupe d'huile de tournesol
1 chou chinois
1/2 salade frisée, les feuilles déchirées en morceaux de la taille d'une bouchée
115 g/4 oz de noix de cajou sans sel
2 grandes carottes pelées et coupées en fines lanières
sel et poivre noir

1 Hachez l'estragon. Coupez les blancs de poulet en fines lanières et mettez-les dans un bol.

2 Pour la marinade, mélangez l'estragon, le gingembre, la sauce soja, le sucre, le sel et le poivre, dans un bol.

3 Versez la marinade sur les lanières de poulet et laissez mariner 2 à 4 heures.

4 Égouttez le poulet en réservant le liquide. Chauffez un wok ou une grande poêle, versez l'huile et, quand elle est bien chaude, faites sauter le poulet 3 min., ajoutez la marinade et laissez bouillonner 2 à 3 min.

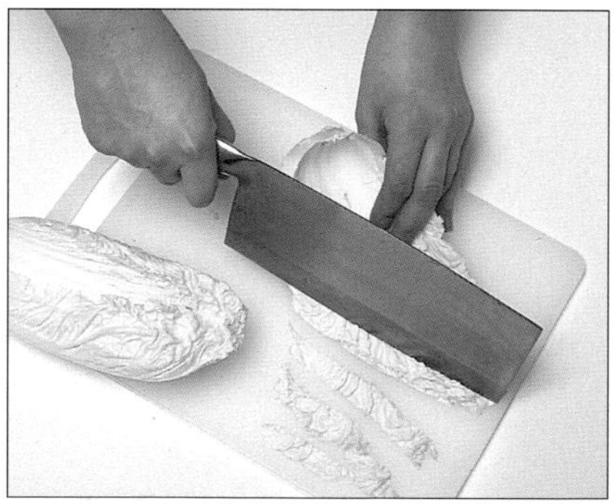

5 Coupez le chou chinois en lamelles, disposez-les sur chaque assiette avec la frisée. Mélangez les noix de cajou, les carottes, le poulet et la sauce, mettez-en un tas sur chaque lit de salade. Servez immédiatement.

Poulet satay à l'indonésienne

Ce poulet est très savoureux avec des hauts de cuisses désossés.

INGRÉDIENTS

Pour 4 personnes

50 g/4 oz de cacahuètes crues
3 c. à soupe d'huile végétale
1 oignon de petite taille, haché fin
1 morceau de gingembre frais d'environ 2,5 cm/1 po de long, pelé et haché fin
1 gousse d'ail écrasée
675 g/1 1/2 lb de hauts de cuisse désossés et pelés, coupés en cubes
130 g/3 1/2 oz de purée de noix de coco (en boîte), en gros morceaux
1 c. à soupe de sauce au piment
60 ml/2 fl oz de beurre de cacahuète
1 c. à café de sucre roux
150 ml/1/4 pinte de lait
1,5 ml/1/4 de c. à café de sel

1 Décortiquez les cacahuètes, enlevez la peau brune et mettez à tremper 1 min. dans un bol, recouvertes entièrement. Égouttez et coupez en petits morceaux.

2 Chauffez un wok ou une grande poêle à frire et versez 1 c. à café d'huile. Quand elle est bien chaude, faites revenir les cacahuètes 1 min., pour les rendre bien dorées et craquantes. Sortez avec une cuillère-écumoire et égouttez sur du papier absorbant.

3 Versez le reste d'huile dans le wok chaud. Quand elle est bien chaude, faites revenir l'oignon, le gingembre et l'ail en remuant bien, 2 à 3 min., de façon à les ramollir sans les laisser colorer. Sortez et égouttez sur du papier absorbant.

4 Faites sauter le poulet 3 à 4 min. jusqu'à ce qu'il soit bien doré de tous les côtés.

5 Enfilez les morceaux de poulet sur les brochettes en bambou préalablement trempées dans l'eau, et gardez au chaud dans un four à basse température.

6 Jetez la purée de noix de coco par morceaux dans le wok et faites revenir jusqu'à ce qu'elle fonde. Ajoutez la sauce au piment, le beurre de cacahuète, l'oignon, le gingembre et l'ail, et laissez mijoter 2 min. Ajoutez le sucre, le lait et le sel et laissez mijoter encore 3 min. Servez les brochettes de poulet bien chaudes, arrosées d'un peu de cette sauce épicée, et saupoudrées de cacahuètes grillées.

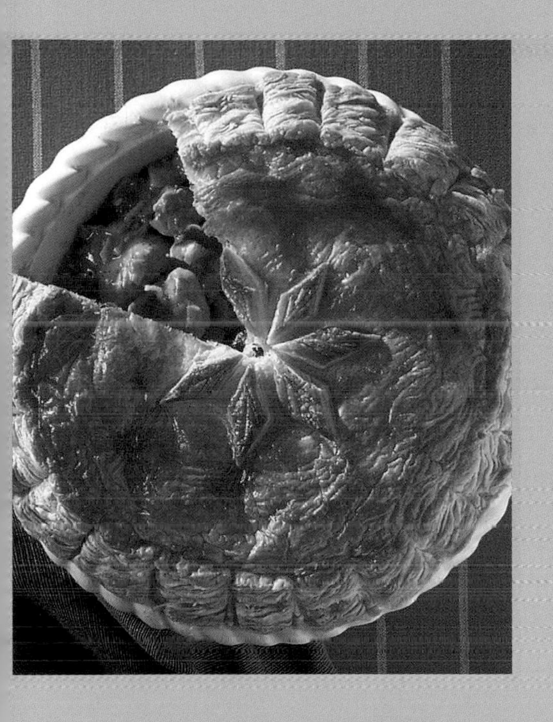

TOURTES, QUICHES ET PLATS EN CROÛTE

Tourte de poulet au curry et aux abricots

Ses saveurs aigres-douces sont très appréciées. Vous pouvez remplacer le poulet par de la dinde.

INGRÉDIENTS

Pour 4 personnes

2 c. à soupe d'huile de tournesol
1 gros oignon haché
450 g/1 lb de morceaux de poulet désossé
1 c. à soupe de curry en poudre
2 c. à soupe de chutney à l'abricot ou à la pêche
115 g/4 oz d'abricots secs à coupés en deux
115 g/4 oz de carottes cuites, coupées en rondelles
5 ml/1 c. à café de fines herbes séchées
4 c. à soupe de crème fraîche
350 g/12 oz de pâte brisée toute préparée
un peu d'œuf ou de lait, pour dorer
sel et poivre noir

1 Chauffez l'huile dans une grande poêle et faites dorer l'oignon et le poulet. Ajoutez le curry et faites revenir encore 2 min.

2 Ajoutez le chutney, les abricots, les carottes, les herbes et la crème fraîche dans la poêle. Salez, poivrez et mélangez bien. Versez le mélange dans un moule à tourte creux d'une contenance de 900 ml à 1,2 litre/$1^1/_2$ à 2 pintes.

3 Roulez la pâte de façon à ce qu'elle ait 2,5 cm/1 po de plus que le moule. Coupez la bande de pâte qui déborde du moule, humectez le bord (plat) du moule, collez-y la bande de pâte, humectez-la d'eau au pinceau, et posez la pâte par-dessus en pressant bien pour fermer la tourte.

4 Préchauffez le four à 190°C/375°F/Th 5. Enlevez la pâte en trop, s'il y en a, et servez-vous-en éventuellement pour décorer le dessus de la tourte. Étalez l'œuf battu ou le lait au pinceau, et cuisez 40 min., jusqu'à ce que la pâte soit dorée et croustillante.

Friands de poulet au beurre de fines herbes

Un filet de poulet au beurre et aux fines herbes, dans une fine croûte.

INGRÉDIENTS

Pour 4 personnes

4 filets de blancs de poulet, pelés
150 g/5 oz de beurre ramolli
6 c. à soupe de fines herbes fraîches hachées (thym, persil, origan et romarin)
1 c. à café de jus de citron
5 grandes feuilles de pâte à brick
1 œuf battu
2 c. à café de parmesan
sel et poivre noir

1 Salez et poivrez les filets de poulet et faites-les dorer très légèrement dans 2 c. à soupe de beurre. Laissez refroidir.

2 Préchauffez le four à 190°C/375°F/Th. 5. Mettez le reste du beurre, les fines herbes, le jus de citron, du sel et du poivre dans un mixer ou un robot, et réduisez en purée homogène. Faites fondre la moitié de ce beurre aux herbes.

3 Avec un pinceau, badigeonnez une feuille de pâte à brick de beurre aux herbes, le reste de la pâte restant couvert avec un torchon humide. Pliez la pâte beurrée en deux, et enduisez-la de beurre à nouveau. Posez un filet de blanc à environ 2,5 cm/1 po de l'extrémité de la feuille de pâte.

4 Aspergez le poulet avec environ un quart du beurre aux herbes restant. Repliez la pâte depuis les côtés vers le centre, puis roulez-la de façon à envelopper le poulet entièrement. Posez le rouleau sur une tôle légèrement graissée, la jointure de pâte contre la tôle. Répétez l'opération avec les 3 autres filets.

5 Étalez l'œuf battu au pinceau sur les rouleaux de pâte. Coupez la feuille de pâte restante en bandes, froissez celles-ci en forme de jolis nœuds qu'on posera sur les friands. Repassez les friands à l'œuf battu, puis saupoudrez de parmesan. Cuisez au four 35 à 40 min., jusqu'à ce que les rouleaux soient bien dorés. Servez très chaud.

Kotopitta

Cette tourte s'inspire d'une recette grecque. Servez-la avec une salade grecque bien typique : tomates, concombres, oignons et féta.

INGRÉDIENTS

Pour 4 personnes

275 g/10 oz de pâte à brick
2 c. à soupe d'huile d'olive
75 g/3 oz d'amandes grillées et pilées
2 c. à soupe de lait

Pour la garniture

1 c. à soupe d'huile d'olive
1 oignon de taille moyenne, haché fin
1 gousse d'ail écrasée
450 g/1 lb de poulet froid, désossé
50 g/2 oz de féta, réduite en petits morceaux
2 œufs battus
1 c. à soupe de persil frais haché
1 c. à soupe de coriandre fraîche hachée
1 c. à soupe de menthe fraîche hachée
sel et poivre noir fraîchement moulu

1 Pour la garniture, chauffez l'huile dans une grande poêle et faites revenir l'oignon haché. Ajoutez l'ail écrasé et faites revenir encore 2 min. Versez dans un bol.

2 Pelez le poulet, hachez-le ou coupez-le en petits morceaux. Mettez-le dans le bol où se trouve déjà l'oignon et ajoutez le reste des ingrédients de la garniture. Mélangez bien, salez et poivrez.

3 Préchauffez le four à 190°C/375°F/Th. 5. Gardez la pâte à brick couverte en permanence sous un torchon humide. Il faut travailler avec célérité car la pâte déssèche très vite, une fois exposée à l'air. Déroulez la pâte et coupez toutes les feuilles à la fois en carrés de 30 cm/12 po.

4 Prenez la moitié des feuilles de pâte (les autres restant couvertes), étalez de l'huile d'olive au pinceau sur l'une d'elles et posez-la sur un plat à feu bien graissé, d'une contenance de 1,35 l/2 1/4 pinte.

5 Parsemez de quelques amandes. Répétez l'opération avec les autres feuilles et faites-les se chevaucher légèrement. Posez-y la garniture à la cuillère et couvrez la tourte avec le reste des feuilles de pâte, également disposées de manière à se chevaucher.

6 Repliez les bords et dessinez un losange au couteau sur le dessus de la tourte. Enduisez de lait au pinceau et saupoudrez avec le reste des amandes. Cuisez 20 à 30 min.

Timbale de poulet à l'ancienne

Vous pouvez préparer le poulet et la sauce un jour à l'avance ou les laisser refroidir complètement avant de les recouvrir de pâte et d'enfourner. Vous pouvez aussi faire 4 petites timbales individuelles ; dans ce cas, comptez 10 minutes de cuisson en moins.

INGRÉDIENTS

Pour 4 personnes

1 poulet de 1,500 kg/3 à 3 1/2 lb
1 oignon coupé en quatre
1 brin d'estragon ou de romarin frais
2 c. à soupe de beurre
115 g/4 oz de petits champignons
2 c. à soupe de farine
300 ml/1/2 pinte de bouillon de poulet
115 g/4 oz de jambon cuit, en dés
2 c. à soupe de persil frais haché
450 ml/1 lb de pâte feuilletée toute préparée
1 œuf battu
sel et poivre noir

1 Préchauffez le four à 200°C/400°F/Th. 6. Mettez le poulet dans une cocotte avec l'oignon et les herbes. Versez 300 ml/1/2 pinte d'eau, salez et poivrez. Couvrez et cuisez à cœur 1 h 15 environ.

2 Sortez le poulet et versez le liquide de cuisson dans un pichet-doseur en le passant. Laissez refroidir et enlevez la graisse qui surnage en surface. Ajoutez assez d'eau pour faire 300 ml/1/2 pinte de liquide et réservez pour la sauce.

3 Séparez la chair des os et coupez-la en gros cubes. Faites fondre le beurre dans une casserole et revenir les champignons 2 à 3 min. Versez la farine en pluie et ajoutez le bouillon peu à peu, en remuant bien.

4 Portez à ébullition, salez et poivrez, ajoutez le jambon, le poulet et le persil. Versez dans un grand moule à tourte et laissez refroidir.

5 Sur une surface légèrement farinée, étendez la pâte au rouleau en débordant le moule de 5 cm/2 po. Posez une bande de pâte sur son bord plat. Humectez avec un peu d'eau et faites adhérer au moule. Passez de l'œuf au pinceau sur cette bande de pâte.

6 Posez la pâte sur la tourte, en veillant à ne pas l'étirer. Pressez dessus pour la faire adhérer au bord plat. Enlevez le surplus avec un couteau bien aiguisé et repoussez un peu les bords vers le centre pour que la pâte puisse gonfler. Dentelez les bords et faire une cheminée au centre de la tourte pour permettre à la vapeur de s'échapper pendant la cuisson. Décorez de motifs de feuilles en pâte et gardez au frais jusqu'au moment d'enfourner.

7 Étalez au pinceau de l'œuf battu sur la pâte (en épargnant les côtés de la pâte). Cuisez au four 35 à 45 min., le temps que la pâte soit bien gonflée et dorée de partout.

Timbale au poulet et aux champignons

Mélangez des champignons en boîte et des frais pour cette timbale.

INGRÉDIENTS

Pour 6 personnes

15 g/1/2 oz de champignons séchés
4 c. à soupe de beurre
2 c. à soupe de farine
250 ml/8 fl oz de bouillon de poulet, réchauffé
50 ml/2 fl oz de crème ou de lait
1 oignon coupé en morceaux
2 carottes en rondelles
2 branches de céleri en morceaux
50 g/2 oz de champignons frais, coupés en quatre
450 g/1 lb de poulet froid, coupé en cubes
50 g/2 oz de petits pois frais écossés, ou surgelés
sel et poivre noir
1 œuf battu

Pour la pâte

225 g/8 oz de farine
1/4 de c. à café de sel
115 g/4 oz de beurre froid, en morceaux
50 g/2 oz de saindoux
4 à 8 c. à soupe d'eau glacée

1 Pour la pâte, tamisez la farine et le sel dans une jatte. Ajoutez le beurre et le saindoux (à consistance de celle des miettes de pain). Aspergez avec 6 c. à soupe d'eau glacée et mélangez jusqu'à ce que la pâte se forme. Ajoutez de l'eau au besoin, 1 cuillerée à la fois.

2 Rassemblez la pâte en boule et aplatissez-la. Enveloppez dans du papier sulfurisé et mettez à rafraîchir au moins 30 min.

3 Mettez les champignons dans un bol. Couvrez d'eau chaude et laissez tremper environ 30 min., le temps qu'ils ramollissent. Sortez de l'eau à l'écumoire de façon à éliminer d'éventuels petits cailloux, et égouttez. Jetez l'eau.

4 Préchauffez le four à 190°C/375°F/Th. 5.

5 Faites fondre 2 c. à soupe de beurre dans une casserole à fond épais. Versez la farine en mélangeant au fouet et laissez cuire jusqu'au bouillonnement, sans cesser de remuer. Ajoutez le bouillon chaud et cuisez à feu moyen en battant, jusqu'à ébullition. Laissez bouillonner 2 à 3 min. Ajoutez la crème ou le lait en battant. Salez, poivrez et réservez.

6 Chauffez le reste du beurre dans une grande poêle teflon jusqu'à ce qu'il mousse. Faites ramollir l'oignon et les carottes environ 5 min. Ajoutez le céleri et les champignons frais et faites revenir 5 min. Ajoutez en remuant bien : le poulet, les petits pois et les champignons égouttés.

7 Mettez ce mélange dans la sauce et remuez. Salez, poivrez. Versez dans un plat à four rectangulaire d'une contenance de 2,5 l/4 pintes.

8 Roulez la pâte sur une épaisseur de 3 mm/1/8 po. Coupez un rectangle dont les dimensions soient supérieures d'environ 2,5 cm/1 po à celles du plat. Posez le rectangle de pâte sur la garniture, festonnez le bord de la croûte en le pinçant entre le pouce et l'index.

9 Pratiquez plusieurs trous d'aération dans la croûte pour permettre à la vapeur de s'échapper. Passez de l'œuf au pinceau pour faire dorer la tourte.

10 Faites une boule des restes de pâte, roulez, découpez en lanières et appliquez en croisillons sur la croûte. Repassez à l'œuf.

11 Cuisez au four jusqu'à ce que la croûte soit bien dorée, soit environ 30 min. Servez bien chaud.

Poulet en croûte

Des couches de blancs de poulet alternant avec des couches de farce aux herbes et à l'orange, habillées d'une pâte feuilletée croustillante.

INGRÉDIENTS

Pour 8 personnes

1 paquet de 450 g/1 lb de pâte feuilletée
4 gros blancs de poulet désossés et pelés
1 œuf battu

Pour la farce

115 g/4 oz de poireaux coupés fin
50 g/2 oz de lard maigre coupé petit
2 c. à soupe de beurre
115 g/4 oz de chapelure
2 c. à soupe de fines herbes fraîches hachées (persil, thym, marjolaine, cive)
écorce râpée d'une grande orange
1 œuf battu
sel et poivre noir

1 Pour la farce, faites ramollir le poireau et le lard au beurre. Mettez la chapelure dans un bol avec les herbes, du sel et du poivre en quantité. Ajoutez le poireau, le lard, le beurre et l'écorce d'orange et liez le tout avec l'œuf battu. Si le mélange est trop sec et s'effrite, mouillez-le avec un peu de jus d'orange ou de bouillon.

2 Roulez la pâte en un rectangle de 30 x 40 cm/12 x 16 po. Coupez les bords bien nets et réservez les chutes de pâte pour la décoration.

3 Aplatissez les blancs entre deux feuilles de film transparent jusqu'à 5 mm/1/4 po. Étalez un tiers de la farce au centre de la pâte et posez dessus deux blancs de poulet côte à côte. Couvrez les blancs avec le second tiers de la farce, posez deux autres blancs dessus et recouvrez-les du reste de farce.

4 Coupez la pâte en diagonale depuis le coin extérieur jusqu'au mélange de poulet. Enduisez d'œuf avec un pinceau.

5 Repliez les côtés de la pâte en les faisant légèrement se chevaucher. Enlevez tout excès de pâte avant de replier les deux extrémités, comme pour fermer un paquet. Posez sur une tôle graissée, les raccords en dessous. Retouchez la forme de la tourte pour la rendre harmonieuse.

6 Avec la pointe d'un couteau bien aiguisé, dessinez des croisillons sur la pâte. Enduisez d'œuf au pinceau et décorez avec des feuilles réalisées dans les chutes de pâte. Cuisez à 200°C/ 400°F/Th. 6 de 50 à 60 min. (le feuilleté est gonflé et doré).

Quiche paysanne du Hampshire

Cette quiche a une très jolie présentation sous sa voilette en croisillon.

INGRÉDIENTS

Pour 4 personnes

225 g/8 oz de farine complète
50 g/2 oz de beurre, coupé en cubes
50 g/2 oz de saindoux
1 c. à café de graines de carvi
1 c. à soupe d'huile
1 oignon haché
1 gousse d'ail écrasée
225 g/8 oz de poulet froid en petits morceaux
75 g/3 oz de feuilles de cresson, hachées
écorce râpée d'un demi petit citron
2 œufs, légèrement battus
175 ml/6 fl oz de crème fraîche
3 c. à soupe de yaourt nature
une pincée de noix de muscade râpée
3 c. à soupe de fromage de Caerphilly
1 œuf battu, pour dorer
sel et poivre noir

1 Mettez la farine dans une jatte avec une pincée de sel. Ajoutez le beurre et le lard et incorporez-les à la farine en frottant avec les doigts jusqu'à ce que le mélange prenne la consistance de miettes de pain.

2 En remuant bien, ajoutez les graines de carvi, versez 3 c. à soupe d'eau glacée et travaillez pour former une pâte ferme. Pétrissez un peu sur une surface farinée jusqu'à ce que la pâte soit bien souple.

3 Roulez la pâte et garnissez-en le fond d'un moule de 18 x 28 cm/7 x 11 po, à fond amovible. Réservez les chutes. Faites quelques trous de fourchette dans la pâte et mettez à rafraîchir 20 min. Mettez une tôle dans le four et préchauffez-le à 200°C/400°F/Th. 6.

4 Chauffez l'huile dans une poêle et ramollissez l'ail et les oignons 5 à 8 min. Retirez du feu et laissez refroidir.

5 Couvrez la pâte d'une feuille de papier sulfurisé et remplissez de haricots secs. Cuisez au four 10 min., enlevez le papier et les haricots et cuisez encore 5 min.

6 Mélangez ail, oignon, poulet, cresson, zeste de citron, mettez dans la croûte à la cuillère. Battez œufs, crème, yaourt, noix de muscade, fromage, sel poivre, versez sur le mélange déjà dans la croûte.

7 Enduisez d'œuf au pinceau des bandes de 1 cm/½ po de large. Disposez en croisillons sur la croûte. Faites adhérer le bout des bandes contre le bord de la croûte. Cuisez au four 35 min. La quiche est bien dorée.

Tourte au poulet à la mode de Cornouailles

La crème fraîche est à l'honneur, comme il se doit pour une recette originaire des Cornouailles.

INGRÉDIENTS

Pour 4 personnes

4 c. à soupe de beurre
4 cuisses entières de poulet
1 oignon haché fin
150 ml/$^1/_4$ pinte de lait
150 ml/$^1/_4$ pinte de crème aigre
4 petits oignons, coupés en quatre
20 g/$^3/_4$ oz de persil frais, haché fin
225 g/8 oz de pâte feuilletée toute préparée
120 ml/4 fl oz de crème fraîche
2 œufs battus, plus un pour dorer
sel et poivre blanc

1 Faites fondre le beurre dans une poêle à fond épais et dorer les quarts de poulet. Réservez sur un plat.

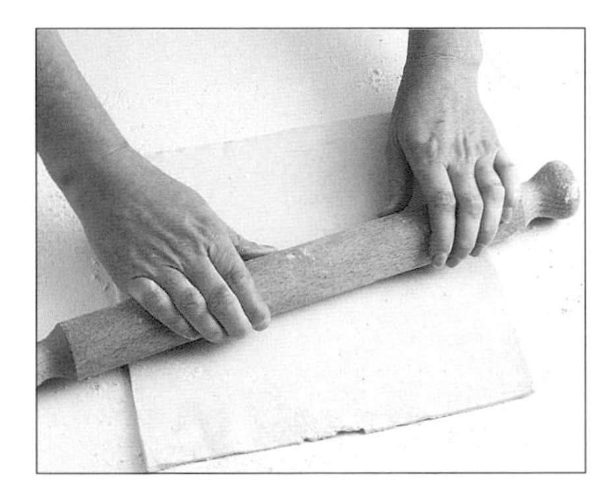

2 Faites ramollir l'oignon à la poêle sans le brunir. Tout en remuant, ajoutez le lait, la crème aigre, les petits oignons, le persil, le sel et le poivre. Portez à ébullition, puis laissez mijoter 2 min.

3 Remettez le poulet dans la poêle avec son jus, s'il y en a, couvrez hermétiquement et laissez cuire à feu très doux 30 min. environ. Versez le poulet et la sauce dans un moule à tourte d'une contenance de 1,2 l/2 pintes et laissez refroidir.

4 Pendant ce temps, roulez la pâte afin qu'elle dépasse de 2 cm/ $^3/_4$ po les dimensions du moule. Laissez reposer pendant que le poulet refroidit.

5 Préchauffez le four à 220°C/ 425°F/Th. 7. Coupez une mince bande de pâte sur tout le pourtour de la pâte et posez cette bande sur le rebord du moule. Humectez, puis posez la grande pâte sur le moule, en pressant pour la faire adhérer à la bande humide.

6 Pratiquez un trou au centre, insérez une petite cheminée en papier d'aluminium. Enduisez d'œuf au pinceau. Enfournez 15 à 20 min.

7 Réduisez la température du four à 180°C/350°F/Th. 5. Mélangez la crème fraîche et les œufs et versez dans la tourte par la cheminée. Inclinez le moule en secouant légèrement pour répartir la crème, puis remettez au four 5 à 10 min. Sortez du four et laissez reposer 5 à 10 min. dans un endroit chaud avant de servir.

Tourte au poulet et au jambon

Ce plat en croûte convient parfaitement pour un buffet froid, un pique-nique ou un en-cas à emporter.

INGRÉDIENTS

Pour 8 personnes

400 g/14 oz de pâte brisée toute préparée
800 g/1^3/4 lb de blancs de poulet
350 g/12 oz de carré de porc
60 ml/2 fl oz environ de crème fraîche
6 petits oignons hachés fin
1 c. à soupe d'estragon frais haché
2 c. à café de thym frais haché
écorce râpée et jus d'un demi-citron de grosse taille
1 c. à café de macis fraîchement râpé
sel et poivre noir
œuf battu ou lait, pour dorer la croûte

1 Préchauffez le four à 190°C/375°F/Th. 5. Roulez un tiers de la pâte et étendez-la au fond d'un moule à tourte de 20 cm/8 in de long et profond de 4 cm/1^1/2 po. Posez le moule sur une tôle.

2 Hachez 115 g/4 oz de poulet et le carré de porc, puis ajoutez-y crème, petits oignons, herbes, écorce de citron, sel, poivre, et remuez en un mélange bien lisse, en versant un peu de crème si nécessaire.

3 Coupez le reste du poulet en petits morceaux de 1 cm/^{1}/2 po. Mélangez avec le reste du jus de citron, le macis, du sel et du poivre.

4 Étalez un tiers du mélange à base de porc sur la pâte, couvrez d'une couche de poulet, et recouvrez d'une couche du second tiers de porc. Étalez par-dessus le reste du poulet et finissez avec le dernier tiers de mélange au porc.

5 Humectez les bords de la pâte. Roulez les deux tiers de la pâte réservée pour couvrir la tourte.

6 Utilisez les chutes de pâte pour une décoration en croisillons. Percez un petit trou au centre de la pâte, enduisez d'œuf battu ou de lait, puis laissez cuire au four 20 min. à peu près. Baissez la température du four à 160°C/325°F/Th. 4 et cuisez encore 1 h à 1 h 15. Si le dessus de la tourte brunit trop, couvrez avec une feuille de papier d'aluminium. Démoulez la tourte et posez sur une grille pour laisser refroidir.

Tourte au poulet, aux poireaux et au persil

On appréciera la parfaite harmonie des saveurs du poulet et du poireau dans cette tourte.

INGRÉDIENTS

Pour 4 à 6 personnes
275 g/10 oz de farine
une pincée de sel
200 g/7 oz de beurre, coupé en petits morceaux
2 jaunes d'œufs

Pour la garniture
3 blancs de poulet partiellement désossés
pour aromatiser : bouquet garni, grains de poivre noir, oignon et carotte
4 c. à soupe de beurre
2 poireaux coupés en fines lamelles
50 g/2 oz de cheddar râpé
25 g/1 oz de parmesan râpé fin
3 c. à soupe de persil frais haché
2 c. à soupe de moutarde à l'ancienne
1 c. à café de Maïzena
300 ml/$^1/_2$ pinte de crème fraîche
sel et poivre noir
un œuf battu, pour dorer la pâte
une salade verte composée, pour servir

1 Pour la pâte, tamisez la farine et le sel. Mixez le beurre et les jaunes d'œufs en un mélange crémeux. Ajoutez la farine et formez la pâte. Versez 1 c. à soupe d'eau froide et mixez quelques secondes. Mettez la pâte sur une surface légèrement farinée et pétrissez un peu. Emballez de film transparent et rafraîchissez à peu près 1 heure.

2 Pendant ce temps, couvrez les blancs de poulet d'eau, en ajoutant le bouquet garni et autres ingrédients aromatiques. Cuisez jusqu'à ce que le poulet soit tendre. Laissez à refroidir dans le liquide.

3 Préchauffez le four à 200°C/400°F/Th. 6. Divisez la pâte en deux parties, dont l'une un peu plus grosse que l'autre. Roulez la plus grosse sur une surface légèrement farinée et posez-la dans un moule à tourte ou plat à feu de 18 x 28 cm/7 x 11 po. Percez des trous à la fourchette et cuisez 15 min. Laissez refroidir.

4 Sortez le poulet refroidi de son eau de cuisson, désossez et enlevez la peau. Coupez-le en lanières, puis réservez.

5 Faites fondre le beurre dans une poêle et ramollir le poireau à feu doux, en remuant de temps en temps.

6 Tout en remuant, ajoutez le cheddar, le parmesan et le persil haché. Étalez la moitié du mélange sur la pâte précuite en laissant un peu d'espace sur le pourtour.

7 Couvrez de lanières de poulet, puis rajoutez le reste de mélange au poireau. Mélangez la moutarde à l'ancienne, la Maïzena et la crème fraîche dans un bol, salez et poivrez. Versez sur la tourte.

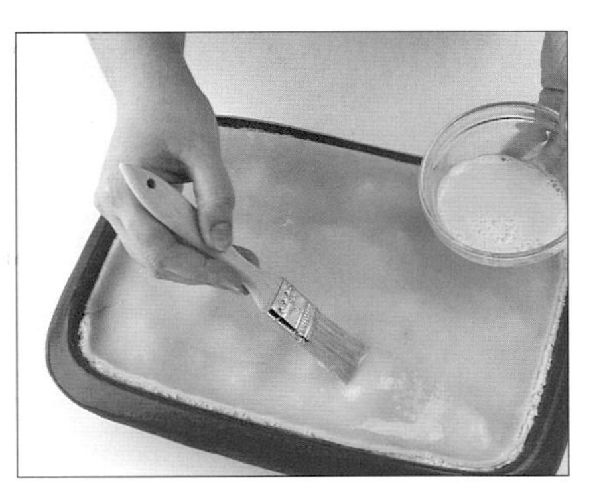

8 Humectez les bords de la pâte cuite. Roulez le reste de la pâte de façon à faire un rectangle pour couvrir la tourte. Enduisez ce couvercle d'œuf battu et enfournez 30 à 40 min., jusqu'à ce que la tourte soit dorée et croustillante. Servez bien chaud, en coupant de généreuses portions carrées, accompagnées d'une salade verte composée.

Pastitsio au poulet

Recette grecque traditionnelle, le pastitsio est un plat riche et gras, à base de bœuf haché. Cette version allégée est tout aussi riche en goût.

INGRÉDIENTS

Pour 4 à 6 personnes

450 g/1 lb de poulet maigre, haché
1 gros oignon haché fin
4 c. à soupe de purée de tomate
250 ml/8 fl oz de vin rouge ou de bouillon
1 c. à café de cannelle en poudre
300 g/11 oz de macaronis
300 ml/$^1/_2$ pinte de lait
2 c. à soupe de margarine au tournesol
4 c. à soupe de farine
1 c. à café de noix de muscade râpée
2 tomates coupées en rondelles
4 c. à soupe de chapelure
sel et poivre noir
salade verte, pour servir

1 Préchauffez le four à 220°C/425°F/Th. 7. Faites dorer le poulet et l'oignon sans graisse dans une poêle teflon.

2 Tout en remuant, ajoutez la purée de tomate, le vin rouge ou le bouillon, et la cannelle. Salez et poivrez, puis couvrez et laissez mijoter 5 min. en remuant de temps en temps. Retirez du feu.

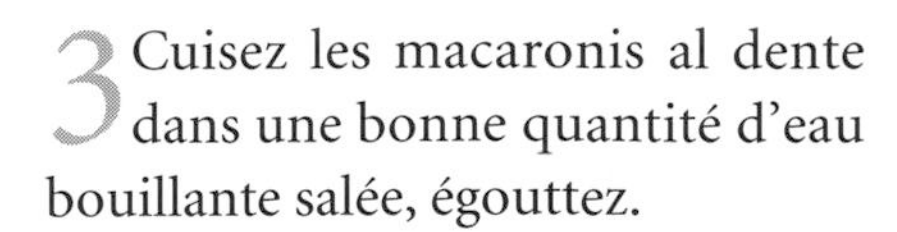

3 Cuisez les macaronis al dente dans une bonne quantité d'eau bouillante salée, égouttez.

4 Alternez des couches de macaronis et de viande dans un grand plat à feu.

5 Mettez le lait, la margarine et la farine dans une casserole et battez au fouet en cuisant à feu modéré jusqu'à ce que le mélange épaississe et soit bien lisse. Ajoutez la noix de muscade, du sel et du poivre.

6 Versez la sauce sur le plat. Disposez les rondelles de tomate par-dessus et saupoudrez de chapelure.

7 Enfournez 30 à 45 min. (le plat doit être doré et faire des cloques). Servez chaud avec une salade verte bien fraîche.

Tourte au poulet et au gibier

Le gingembre exalte le mélange de poulet et de gibier.

INGRÉDIENTS

Pour 4 personnes

450 g/1 lb de poulet et de viande de gibier, désossés (réserver les carcasses et les os)
1 oignon de petite taille, coupé en deux
2 feuilles de laurier
2 carottes coupées en deux
quelques grains de poivre noir
1 c. à soupe d'huile
75 g/3 oz de tranches de lard maigre, découenné, coupées en petits morceaux
1 c. à soupe de farine
3 c. à soupe de sherry doux (rouge) ou de Madère
2 c. à café de gingembre en poudre
zeste râpé et jus d'une demi-orange
350 g/12 oz de pâte feuilletée toute prête
un œuf battu ou du lait, pour dorer la pâte
sel et poivre noir

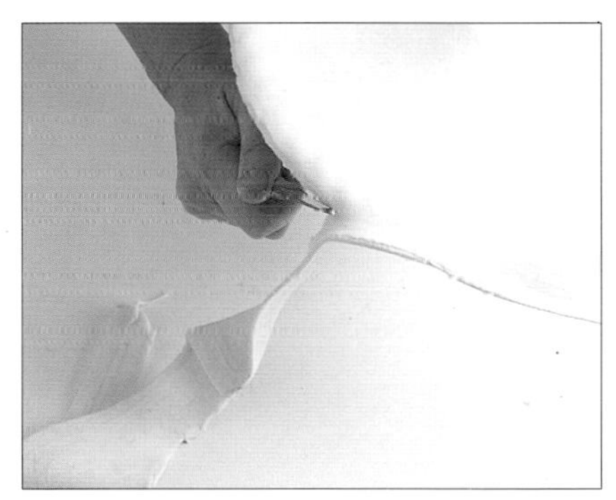

1 Mettez les carcasses et les os dans une casserole avec les abattis, s'il y en a, la moitié de l'oignon, le laurier, les carottes et les grains de poivre. Couvrez d'eau et portez à ébullition. Réduisez à 300 ml/ 1/2 pinte environ, passez et réservez.

2 Découpez le poulet et le gibier en portions égales. Hachez le reste de l'oignon et faites ramollir dans l'huile. Ajoutez le lard et les viandes, et saisissez à feu vif. Versez la farine en pluie et remuez jusqu'à dorer le mélange. Versez le bouillon peu à peu en remuant à mesure que le liquide épaissit, ajoutez le sherry ou le Madère, le gingembre, l'écorce et le jus d'orange, le sel et le poivre. Mijotez 20 min.

3 Versez dans un moule à tourte de 900 ml/ 1 1/2 pinte et laissez refroidir. Une cheminée à tourte maintiendra la pâte.

4 Préchauffez le four à 220°C/ 425°F/Th. 7. Roulez la pâte. Elle doit déborder le moule de 2,5 cm/ 1 po. Coupez une mince bande de 1 cm/1/2 po de large sur le pourtour. Humectez le rebord du moule et appliquez-y la bande de pâte en appuyant. Humectez et posez la grande pâte sur la tourte en pressant. Enlevez le surplus de pâte et utilisez-le pour décorer le dessus. Badigeonnez d'œuf ou de lait.

5 Laissez cuire 15 min., puis réduisez la température du four à 190°C/375°F/Th. 5 et poursuivez la cuisson 25 à 30 min.

Chaussons au poulet et au stilton

Ces chaussons de pâte brisée croustillante fourrés de poulet et de stilton (l'excellent « bleu » anglais) sont parfaits pour le déjeuner.

INGRÉDIENTS

Pour 4 personnes

350 g/12 oz de farine additionnée de levure alsacienne
1/2 c. à café de sel
6 c. à soupe de saindoux
6 c. à soupe de beurre
4 à 5 c. à soupe d'eau froide
un œuf battu, pour dorer la croûte

Pour la garniture

450 g/1 lb de hauts de cuisse de poulet, désossés et pelés
25 g/1 oz de noix pilées
25 g/1 oz de petits oignons coupés fin
50 g/2 oz de stilton émietté
25 g/1 oz de céleri, en petits morceaux
1/2 c. à café de thym séché
sel et poivre noir

1 Préchauffez le four à 200°C/400°F/Th. 6. Mélangez farine, sel dans un bol. Mettez-y saindoux et beurre en les travaillant à la main, jusqu'à consistance de miettes. Versez de l'eau froide, en remuant et brisant avec un couteau, pour former une pâte ferme malléable.

2 Pétrissez-la légèrement sur un plan de travail. Divisez en quatre et roulez chaque morceau en un cercle de 20 cm/8 po de diamètre et une épaisseur de 5 mm/1/4 po.

3 Retirez la graisse des hauts de cuisse et coupez la chair en petits cubes. Mélangez-la avec les noix pilées, les petits oignons, le stilton, le thym, du sel et du poivre, et divisez cette farce en quatre parts égales à répartir entre les quatre cercles de pâte.

4 Avec un pinceau, badigeonnez le bord de la pâte d'œuf battu, repliez la pâte bord à bord et fermez le chausson en pinçant les bords en forme de feston. Disposez les chaussons sur une tôle graissée et enfournez 45 min. environ, le temps qu'ils soient bien dorés.

Feuilleté au poulet

Un plat spectaculaire que ce feuilleté aérien avec sa délicieuse garniture de poulet et de champignons, agrémentée d'une note fruitée.

INGRÉDIENTS

Pour 4 personnes

450 g/1 lb de pâte feuilletée toute préparée
de l'œuf battu, pour dorer la pâte

Pour la garniture

1 c. à soupe d'huile
450 g/1 lb de chair de poulet hachée
4 c. à soupe de farine
150 ml/1/4 pinte de lait
150 ml/1/4 pinte de bouillon de poulet
4 petits oignons hachés
25 g/1 oz de groseilles rouges
75 g/3 oz de petits champignons, coupés fin
1 c. à soupe d'estragon frais
sel et poivre noir

1 Préchauffez le four à 200°C/400°F/Th. 6. Roulez la moitié de la pâte sur une surface légèrement farinée et formez un ovale de 25 cm/10 po de long. Roulez le reste de la pâte aux mêmes dimensions, puis tracez dessus un ovale un peu plus petit – 20 cm/8 po – et coupez.

2 Badigeonnez les bords du premier ovale avec de l'œuf battu et posez dessus le plus petit ovale. Mettez sur une tôle humectée et cuisez au four 30 min.

3 Pour la garniture, chauffez l'huile dans une grande poêle et faites revenir le poulet haché 5 min. Ajoutez la farine, laissez cuire 1 min. Tout en remuant, versez le lait et le bouillon et portez à ébullition.

4 Ajoutez les petits oignons, les groseilles et les champignons. Laissez cuire 20 min.

5 Ajoutez l'estragon frais tout en remuant et salez, poivrez.

6 Posez le feuilleté sur un plat de service, décalottez l'ovale central et mettez la garniture à la cuillère dans le creux. Refermez avec la calotte de feuilleté. Servez avec des légumes qu'on vient de cuire.

VARIANTE

On peut aussi remplacer la pâte feuilletée par de la pâte brisée et procéder comme pour une tourte classique.

RECETTES EXOTIQUES ET PLATS ÉPICÉS

Poulet au curry tout simple

Un curry plein de saveur et qui demande fort peu de préparation.

INGRÉDIENTS

Pour 4 personnes

2 c. à soupe d'huile végétale
1 oignon haché
1 poivron vert ou rouge, épépiné et coupé en petits dés
1 gousse d'ail hachée fin
25 ml/1 1/2 c. à soupe de curry en poudre
2,5 ml/1/2 c. à café de thym séché
450 g/1 lb de tomates fraîches pelées, épépinées et coupées en morceaux ou tomates en boîte coupées en morceaux
2 c. à soupe de jus de citron
120 ml/4 fl oz d'eau
50 g/2 oz de raisins secs ou cassis secs
sel et poivre noir
1 poulet de 1,5 kg/3 à 3 1/2 lb, découpé en huit portions, pelé
du riz cuit, pour servir

1 Préchauffez le four à 180°C/350°F. Chauffez l'huile dans une grande sauteuse munie d'un couvercle et d'une poignée pouvant aller au four, ou dans une cocotte. Faites revenir l'oignon, le poivron vert ou rouge et l'ail, en remuant de temps en temps, de façon à atten-

drir les légumes sans trop les dorer.

2 Tout en remuant, ajoutez la poudre de curry et le thym, puis les tomates, le jus de citron et l'eau. Portez à ébullition en remuant fréquemment. Ajoutez les raisins ou cassis secs. Salez, poivrez.

3 Introduisez les morceaux de poulet, en une seule couche. Retournez pour bien les enduire de sauce. Couvrez et enfournez. Cuisez à cœur au four 40 min. environ. Retournez à mi-cuisson.

4 Versez le poulet et la sauce dans un plat de service et servez avec du riz cuit à l'eau.

VARIANTE

Pour un curry de poulet en cocotte, omettez le poivron coupé en dés et faites revenir dans une cocotte 25 ml/1 1/2 c. à soupe de gingembre frais, haché fin, 1 piment vert épépiné, haché fin, l'ail et l'oignon. Pour l'étape 2 de la recette, délayer la poudre de curry dans 450 ml/3/4 pint de yaourt nature, et omettez les tomates, le jus de citron et l'eau. Ajoutez les morceaux de poulet, couvrez et laissez cuire au four à basse température (160°C/325°F) 1h à 1h1/4.

Sauté de poulet à l'asiatique

Ces sautés, vite prêts, et qui allient toute sorte d'ingrédients en un délicieux plat unique, conviennent particulièrement bien au rythme rapide de la vie contemporaine.

INGRÉDIENTS

Pour 4 personnes

275 g/10 oz de nouilles chinoises aux œufs
2 c. à soupe d'huile végétale
3 petits oignons hachés
1 gousse d'ail écrasée
1 morceau de gingembre frais de 2,5 cm/ 1 po de long, pelé et râpé
1 c. à café de paprika épicé
1 c. à café de coriandre en poudre
3 blancs de poulet, désossés, en lanières
115 g/4 oz de jeunes petits pois en gousses, épluchés
115 g/4 oz d'épis de maïs miniatures, en 2
225 g/8 oz de pousses de soja fraîches
1 c. à soupe de Maïzena
3 c. à soupe de sauce soja
3 c. à soupe de jus de citron
1 c. à soupe de sucre
3 c. à soupe de coriandre fraiche ou de queues de petits oignons, pour garnir

1 Faites bouillir une grande casserole d'eau salée, jetez-y les nouilles et cuisez selon les instructions données sur le paquet. Égouttez, couvrez et gardez au chaud.

2 Chauffez l'huile et faites revenir les petits oignons à feu doux. Ajoutez les 5 ingrédients suivants sur la liste, et faites revenir 3 à 4 min. Ajoutez les 3 ingrédients suivants et laissez cuire un petit moment à l'étouffée. Ajoutez les nouilles.

3 Mélangez la Maïzena, la sauce soja, le jus de citron et le sucre dans un bol, versez dans le wok, laissez frémir un peu pour épaissir. Servez garni de coriandre ou de queues de petits oignons hachées.

Poulet à l'ananas

La présence de l'ananas dans ce plat donne un poulet fruité, légèrement sucré et très tendre.

INGRÉDIENTS

Pour 6 personnes

225 g/8 oz d'ananas en morceaux
1 c. à café de cumin en poudre
1 c. à café de coriandre
1/2 c. à café d'ail écrasé
1 c. à café de piment en poudre
1 c. à café de sel
2 c. à soupe de yaourt nature
1 c. à soupe de coriandre faîche hachée
colorant alimentaire orange
275 g/10 oz de poulet, pelé et désossé
1/2 poivron rouge
1/2 poivron jaune ou vert
1 gros oignon
6 tomates miniatures
1 c. à soupe d'huile végétale

1 Versez le jus d'ananas dans un bol. Réservez 8 gros morceaux d'ananas. Prenez les morceaux qui restent, pressez leur jus dans le bol et réservez. On devrait obtenir environ 120 ml/4 fl oz de jus d'ananas.

2 Mélangez dans une jatte le cumin, la coriandre en poudre, l'ail, le piment en poudre, le sel, le yaourt, la coriandre fraîche et quelques gouttes de colorant alimentaire éventuellement. Versez le jus d'ananas réservé et mélangez bien.

3 Coupez le poulet en cubes de la taille d'une bouchée, mettez-le dans la jatte et laissez mariner 1h à 1h30 dans le mélange de yaourt et d'épices.

4 Coupez les poivrons et l'oignon en morceaux de la taille d'une bouchée.

ASTUCE

Utilisez de préférence un mélange de blanc de poulet et de haut de cuisse pour cette recette.

5 Préchauffez le gril à température moyenne. Enfilez les morceaux de poulet, d'oignon, de tomate et d'ananas, en alternant, sur 6 brochettes de métal ou de bois.

6 Huilez les brochettes puis posez-les sur un plat à feu ou la lèchefrite du gril. Laissez griller environ 15 min., en retournant souvent et en arrosant fréquemment les brochettes de marinade.

7 Une fois le poulet cuit, défaites les brochettes et servez avec une salade ou du riz cuit à l'eau.

Poulet et riz aux épices

Commode quand on reçoit, ce plat peut être préparé à l'avance et se réchauffer au four. Servez avec les accompagnements traditionnels d'un curry.

INGRÉDIENTS

Pour 4 personnes

900 g/2 lb de hauts de cuisse désossés
4 c. à soupe d'huile d'olive
2 gros oignons coupés en fines lamelles
1 à 2 piments verts épépinés et coupés fin.
1 c. à café de gingembre frais râpé
1 gousse d'ail écrasée
1 c. à soupe de poudre de curry fort
150 ml/$^1/_4$ pinte de bouillon de poulet
150 ml/$^1/_4$ pinte de yaourt nature
2 c. à soupe de coriandre fraîche hachée
sel et poivre noir

Pour le riz épicé

450 g/1 lb de riz basmati
$^1/_2$ c. à café de garam masala
900 ml/1 $^1/_2$ pinte de bouillon de poulet ou d'eau
50 g/2 oz de raisins secs ou de sultanines
25 g/1 oz d'amandes grillées pilées

1 Lavez le riz basmati à l'eau froide dans une passoire. Versez dans une jatte, couvrez d'eau froide et laissez tremper 30 min. (les grains absorbant de l'eau, ils ne collent pas à la cuisson).

2 Préchauffez le four à 160°C/325°F/Th. 4., découpez le poulet en cubes de 2,5 cm/1 po de côté environ. Chauffez 2 c. à soupe d'huile dans une grande cocotte, faites ramollir un oignon. Puis faites revenir les piments, le gingembre, l'ail et la poudre de curry 2 min. en remuant de temps en temps.

3 Versez le bouillon, salez et poivrez, et portez lentement à ébullition. Mettez le poulet, couvrez et cuisez à cœur au four 20 min.

4 Sortez du four et ajoutez le yaourt en remuant.

5 Pendant ce temps, chauffez le reste de l'huile dans une cocotte et faites revenir le deuxième oignon à feu doux jusqu'à ce qu'il soit tendre et légèrement doré. Ajoutez le riz égoutté, le garam masala, le bouillon ou l'eau. Portez à ébullition, couvrez et cuisez au four (avec le poulet qui s'y trouve déjà) 20 à 35 min., le temps que le riz soit à point et tout le bouillon absorbé.

6 Pour servir, mélangez au riz les raisins secs ou les sultanines et les amandes grillées, en remuant bien. Mettez la moitié du riz dans un grand plat de service sur lequel on dressera le poulet qu'on recouvrira avec le reste du riz. Parsemez de coriandre hachée pour garnir.

Poulet au curry pimenté

Une délicieuse sauce onctueuse, très colorée grâce aux morceaux de poivron rouge et vert qu'elle contient.

INGRÉDIENTS

Pour 4 personnes

2 c. à soupe d'huile de maïs
1/4 de c. à café de graines de fenugrec
1/4 de c. à café de graines d'oignon
2 oignons hachés
1/2 c. à café d'ail haché
1/2 c. à café de gingembre frais, haché
1 c. à café de coriandre en poudre
1 c. à café de piment en poudre
1 c. à café de sel
400 g/14 oz de tomates en boîte
2 c. à soupe de jus de citron
350 g/12 oz de poulet cru, coupé en cubes
2 c. à soupe de coriandre fraîche, hachée
3 piments verts, coupés en morceaux
1/2 poivron rouge, en gros morceaux
1/2 poivron vert, en gros morceaux
brins de coriandre frais, pour garnir

1 Dans une casserole de taille moyenne, chauffez l'huile et faites-y légèrement foncer les graines de fenugrec et d'oignon. Ajoutez l'oignon, l'ail et le gingembre et faites dorer 5 min. Réduisez à feu très doux.

2 Pendant ce temps, mélangez dans un bol la coriandre en poudre, le piment en poudre, le sel, les tomates et le jus de citron.

3 Versez ce mélange dans la casserole contenant les oignons et passez à feu moyen. Faites revenir en remuant bien 3 min.

4 Ajoutez les morceaux de poulet et faites revenir 5 à 7 min.

5 Ajoutez la coriandre, les piments et les poivrons. Réduisez le feu, couvrez, laissez mijoter 10 min.

6 Servez chaud, garni de brins de coriandre fraîche.

ASTUCE

Si l'on préfère une version moins relevée, il suffit de réduire le nombre de piments verts, voire de les supprimer complètement.

Ailes de poulet « San Francisco »

Épicez-les à votre convenance en rajoutant de la sauce pimentée.

INGRÉDIENTS

Pour 4 personnes

85 ml/3 fl oz de sauce soja
1 c. à soupe de cassonade
1 c. à soupe de de vinaigre de riz
2 c. à soupe de sherry sec (blanc)
jus d'une orange
1 lanière d'écorce d'orange de 5 cm/2 po
1 étoile d'anis
1 c. à café de Maïzena
50 ml/2 fl oz d'eau
1 c. à soupe de gingembre frais, haché
1/4 à 1 c. à café de sauce orientale au piment et à l'ail
22 à 24 ailes de poulet

1 Préchauffez le four à 200°C/400°F/Th. 6. Mélangez les ingrédients de la sauce dans une casserole : sauce soja, cassonade, vinaigre de riz, sherry sec, jus et écorce d'orange, anis. Portez à ébullition à feu moyen.

2 Délayez la Maïzena avec l'eau dans un bol, en remuant bien. Versez, tout en remuant, dans la casserole contenant la sauce soja. Laissez bouillir 1 min. en ne cessant pas de remuer.

3 Retirez la casserole du feu et ajoutez le gingembre et la sauce au piment et à l'ail (dans la quantité que l'on souhaite).

4 Disposez les ailes de poulet (sans les ailerons) en une seule couche, dans un grand plat à feu. Versez dessus le mélange à base de sauce soja, en remuant pour bien enduire toutes les ailes.

5 Cuisez au four 30 à 40 min., jusqu'à ce que les ailes soient tendres et bien dorées, en arrosant de temps en temps avec le jus de cuisson. Servez très chaud ou juste chaud.

Curry de poulet parfumé

Dans cette recette, la sauce est épaissie avec des lentilles fondantes.

INGRÉDIENTS

Pour 4 personnes

75 g/3 oz de lentilles oranges
2 c. à soupe de curry « doux » en poudre
2 c. à café de coriandre en poudre
1 c. à café de graines de cumin
475 ml/16 fl oz de bouillon de poulet
8 hauts de cuisse, pelés
225 g/8 oz d'épinards frais émincés fin, ou d'épinards surgelés décongelés et égouttés
1 c. à soupe de coriandre fraîche
sel et poivre noir
brins de coriandre fraîche, pour garnir
riz basmati blanc et poppadums grillés, pour servir

1 Rincez les lentilles abondamment à l'eau froide. Mettez dans une grande casserole à fond épais avec le curry en poudre, la coriandre en poudre, le cumin et le bouillon.

2 Portez à ébullition, puis réduisez le feu. Couvrez et laissez mijoter doucement 10 min.

3 Ajoutez le poulet et les épinards. Couvrez et laissez mijoter doucement 40 min., ou le temps que le poulet soit cuit.

4 Tout en remuant, ajoutez la coriandre hachée, le sel et le poivre. Servez garni de coriandre fraîche et accompagné de riz et de poppadums grillés.

Poulet au massala épicé

Des morceaux de poulet grillés qui ont une saveur aigre-douce. On peut les servir chauds ou froids avec une salade et du riz.

INGRÉDIENTS

Pour 6 personnes

12 hauts de cuisse de poulet
6 c. à soupe de jus de citron
1c. à café de gingembre frais, haché
1c. à café d'ail haché
1c. à café de piments rouges secs, écrasés
1c. à café de sel
1c. à café de cassonade
2 c. à soupe de miel liquide
2 c. à soupe de coriandre fraîche, hachée
1 piment vert, haché fin
2 c. à soupe d'huile végétale
brins de coriandre fraîche, pour garnir

1 Piquez les hauts de cuisse de poulet à la fourchette, rincez, essuyez au papier absorbant et réservez dans un bol.

2 Faites la marinade dans une grande jatte en mélangeant le jus de citron, le gingembre, l'ail, les piments rouges, le sel, le sucre et le miel.

3 Mettez les hauts de cuisse dans la marinade et enduisez-les bien. Laissez mariner 45 min. environ.

4 Préchauffez le gril à température moyenne. Après avoir ajouté la coriandre fraîche et le piment vert aux hauts de cuisse, mettez-les dans un plat à feu.

5 Versez le reste de marinade sur le poulet et arrosez d'huile.

6 Mettez les hauts de cuisse à griller 15 à 20 min. sous le gril préchauffé, en tournant de temps en temps, jusqu'à ce qu'ils soient bien cuits et dorés.

7 Dressez le poulet sur un plat de service et garnissez avec des brins de coriandre fraîche.

Poulet tandoori

Célèbre recette de la cuisine indo-pakistanaise, ce plat très apprécié en Occident figure au menu de la plupart des restaurants indiens. Bien que la vraie saveur tandoori soit très difficile à reproduire dans les fours modernes, cette adaptation est malgré tout un régal.

INGRÉDIENTS

Pour 4 personnes

4 quarts de poulet
175 ml/6 fl oz de yaourt nature allégé
1 c. à café de garam masala
1 c. à café de gingembre frais haché
1 c. à café d'ail haché
1 1/2 c. à café de piment en poudre
1/4 de c. à café de curcuma en poudre
1 c. à café de coriandre en poudre
1 c. à soupe de jus de citron
1 c. à café de sel
quelques gouttes de colorant alimentaire rouge
2 c. à soupe d'huile de maïs

Pour la garniture

feuilles de salades variées
quartiers de citron vert
1 tomate coupée en quatre

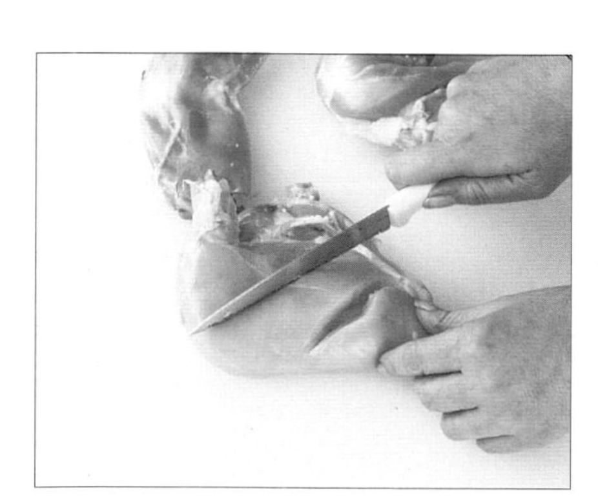

1 Pelez les quarts de poulet, rincez et essuyez au papier absorbant. Pratiquez 2 entailles dans la partie charnue de chaque portion, mettez sur un plat et réservez.

2 Mélangez le yaourt, le garam masala, le gingembre, l'ail, le piment en poudre, le curcuma, la coriandre fraîche, le jus de citron, le sel, le colorant rouge et l'huile. Battez pour obtenir un mélange bien homogène.

3 Couvrez les quarts de poulet avec le mélange et laissez mariner à peu près 3 h.

4 Préchauffez le four à 240°C/475°F/Th. 8. Mettez le poulet dans un plat à feu.

5 Enfournez 20 à 25 min. (le poulet doit être doré sur le dessus).

6 Sortez du four, dressez sur un plat de service et garnissez de feuilles de salade, de citron vert et de quartiers de tomate.

Naans fourrés au poulet

Rapide et facile à réaliser, ce plat est parfait pour un en-cas, ou pour un déjeuner ou un dîner express. Pour gagner du temps, on peut prendre des naans tout prêts qu'on trouve dans certains supermarchés ou dans les magasins asiatiques, ou les remplacer par des pains pittas réchauffés.

INGRÉDIENTS

Pour 4 personnes

4 naans tout prêts
3 c. à soupe de yaourt nature allégé
1 1/2 c. à café de garam masala
1 c. à café de piment en poudre
1 c. à café de sel
3 c. à soupe de jus de citron
1 c. à soupe de coriandre fraîche hachée
1 piment vert coupé en petits morceaux
450 g/1 lb de poulet cru coupé en cubes
1 c. à soupe d'huile végétale (facultatif)
8 rondelles d'oignons
2 tomates coupées en quatre
1/2 chou blanc, coupé en fines lanières

Pour la garniture

quartiers de citron
2 petites tomates, coupées en deux
feuilles de salades variées
coriandre fraîche

1 Ouvrez les naans pour former une poche. Réservez.

2 Mélangez le yaourt, le garam masala, le piment en poudre, le sel, le jus de citron, la coriandre fraîche et le piment vert. Versez la marinade sur les morceaux de poulet et laissez mariner 1 heure environ.

3 Préchauffez le gril à très haute température, puis baissez à température moyenne. Mettez le poulet dans un plat à feu et laissez griller à cœur 15 à 20 min., en retournant au moins deux fois en cours de cuisson.

4 Retirez du gril et remplissez chaque naan avec le poulet, les rondelles d'oignons, les tomates et le chou. Servez avec la garniture.

Poulet tikka

Un plat indien très apprécié en entrée ou comme amuse-gueule, facile et rapide à faire. Cette recette permet aussi de le servir en plat principal pour quatre.

INGRÉDIENTS

Pour 6 personnes

450 g/1 lb de poulet cru, coupé en cubes
1 c. à café de gingembre frais, haché
1 c. à café d'ail haché
1 c. à café de piment en poudre
1/4 c. à café de curcuma en poudre
1 c. à café de sel
1/4 pinte de yaourt nature allégé
4 c. à soupe de jus de citron
1 c. à soupe de coriandre fraîche
1 c. à soupe d'huile végétale

Pour la garniture

1 oignon de petite taille, coupé en rondelles
quartiers de citron vert
salade composée
coriandre fraîche

1 Mettez dans une jatte les morceaux de poulet, le gingembre, l'ail, le piment en poudre, le curcuma, le sel, le yaourt, le jus de citron et la coriandre fraîche, et laissez mariner au moins 2 h.

2 Mettez le poulet sur la lèchefrite du gril ou dans un plat à feu garni d'une feuille de papier d'aluminium et arrosez d'huile.

3 Préchauffez le gril à température moyenne. Faites griller le poulet 15 à 20 min., en retournant et en arrosant deux ou trois fois. Servez avec les garnitures prévues dans la recette.

Poulet en sauce de noix de cajou

Pour apprécier au mieux la finesse de ce plat à la sauce délicieuse, onctueuse et riche, on le servira avec du riz à l'eau.

INGRÉDIENTS

Pour 4 personnes

2 oignons
2 c. à soupe de purée de tomate
50 g/2 oz de noix de cajou
1 1/2 c. à café de garam masala
1 c. à café d'ail écrasé
1 c. à café de piment en poudre
1 c. à soupe de jus de citron
1/4 de c. à café de curcuma en poudre
1 c. à café de sel
1 c. à soupe de yaourt nature allégé
2 c. à soupe d'huile de maïs
1 c. à soupe de coriandre fraîche hachée
1 c. à soupe de sultanines
450 g/1 lb de poulet cru coupé en cubes
175 g/6 oz de petits champignons
300 ml/1/2 pinte d'eau
coriandre fraîche hachée, pour garnir

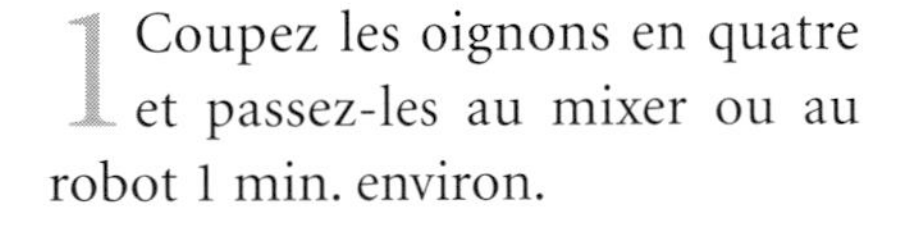

1 Coupez les oignons en quatre et passez-les au mixer ou au robot 1 min. environ.

2 Ajoutez la purée de tomate, les noix de cajou, le garam masala, l'ail, le piment en poudre, le jus de citron, le curcuma, le sel et le yaourt. Mixez 1 à 1 min. 30.

3 Dans une casserole, chauffez l'huile puis mettez à feu moyen et versez le mélange d'épices. Faites sauter 2 min. environ, à feu doux.

4 Ajoutez la coriandre fraîche, les sultanines et les morceaux de poulet et poursuivez la cuisson 1 min.

5 Ajoutez les champignons, versez l'eau, faites mijoter, couvrez et cuisez à feu doux environ 10 min. environ (la sauce doit avoir épaissi).

6 Servez garni de coriandre fraîche hachée.

Poulet à la mangue verte

La mangue verte est très utilisée en cuisine indienne où elle sert, par exemple, à préparer des « pickles », des « chutneys » et certains plats de viande, de volaille ou de légumes. Il s'agit ici d'un plat assez simple, qu'on peut servir avec du riz et du dhal.

INGRÉDIENTS

Pour 4 personnes

1 mangue verte
450 g/1 lb de poulet cru, coupé en cubes
1/4 de c. à café de graines d'oignon
1 c. à café de gingembre frais râpé
1/2 c. à café d'ail écrasé
1 c. à café de piment en poudre
1/4 de c. à café de curcuma en poudre
1 c. à café de sel
1 c. à café de coriandre en poudre
2 c. à soupe d'huile de maïs
2 oignons coupés en lamelles
4 feuilles de curry
300 ml/1/2 pinte d'eau
2 tomates coupées en quatre
2 piments verts hachés
2 c. à soupe de coriandre fraîche hachée

1 Pelez la mangue, dénoyautez et découpez en tranches épaisses. Mettez les tranches dans un bol, couvrez et réservez.

2 Mettez les cubes de poulet dans un bol, ajoutez les graines d'oignon, le gingembre, l'ail, le piment en poudre, le curcuma, le sel et la coriandre en poudre. Mélangez les épices et le poulet, puis ajoutez la moitié des tranches de mangue.

3 Chauffez l'huile dans une casserole de taille moyenne et faites dorer les oignons. Ajoutez les feuilles de curry.

4 Tout en remuant, ajoutez peu à peu les morceaux de poulet et les tranches de mangue.

5 Versez l'eau, réduisez le feu et cuisez à cœur 12 à 15 min. en remuant de temps en temps (l'eau doit être absorbée).

6 Ajoutez le reste des tranches de mangue, les tomates, le piment vert et la coriandre fraîche hachée, et servez bien chaud.

Poulet karahi à la menthe

Pour ce plat riche en saveurs, on cuit d'abord le poulet à l'eau avant de le faire sauter rapidement dans l'huile.

INGRÉDIENTS

Pour 4 personnes

275 g/10 oz de filets de blanc de poulet, pelés et coupés en minces bandes
300 ml/$^1/_2$ pinte d'eau
2 c. à soupe d'huile de soja
2 bottes de petits oignons coupés gros
1 c. à café de gingembre frais râpé
1 c. à café de piment rouge séché, écrasé
2 c. à soupe de jus de citron
1 c. à soupe de coriandre fraîche hachée
1 c. à soupe de menthe fraîche hachée
3 tomates épépinées en morceaux
1 c. à café de sel
brins de menthe et de coriandre, pour garnir

1 Mettez le poulet et l'eau dans une casserole, portez à ébullition, puis baissez à feu moyen. Laissez cuire 10 min. environ (l'eau s'évapore et le poulet est cuit). Retirez du feu et réservez.

2 Chauffez l'huile dans une poêle ou une casserole et faites ramollir les petits oignons 2 min. environ.

3 Mettez les lanières de poulet bouilli dans la poêle et faites-les revenir en remuant bien 3 min., à feu moyen.

4 Ajoutez progressivement le gingembre, le piment séché, le jus de citron, la coriandre fraîche, la menthe fraîche, les tomates et le sel, et remuez doucement pour bien mélanger toutes les saveurs.

5 Dressez sur un plat de service et garnissez de menthe fraîche et de brins de coriandre.

Poulet karahi au fenugrec frais

La saveur du fenugrec frais est relativement méconnue. Cette recette est un bon moyen de découvrir cette herbe délicieuse.

INGRÉDIENTS

Pour 4 personnes

115 g/4 oz de hauts de cuisse de poulet, pelés et coupés en lanières
115 g/4 oz de filet de blanc de poulet, coupé en lanières
1/2 c. à café d'ail haché
1 c. à café de piment en poudre
1/2 c. à café de sel
2 c. à café de purée de tomate
2 c. à soupe d'huile de soja
feuilles d'un bouquet de fenugrec
1 c. à soupe de coriandre fraîche hachée
300 ml/1/2 pinte d'eau
riz ou chapatis, pour servir

1 Portez une casserole d'eau à ébullition, jetez-y le poulet et cuisez 5 à 7 min. Égouttez.

2 Mélangez dans un bol l'ail, la poudre de piment, le sel et la purée de tomate.

3 Chauffez l'huile dans une grande casserole, réduisez le feu et mettez le mélange.

4 Ajoutez les morceaux de poulet et faites revenir en remuant, 5 à 7 min. Réduisez le feu.

5 Ajoutez les feuilles de fenugrec et la coriandre fraîche, et faites revenir 5 à 7 min. tout en remuant.

6 Versez l'eau, couvrez et cuisez 5 min. environ. Servez bien chaud, accompagné de riz ou de chapatis.

ASTUCE

On n'utilise que les feuilles du fenugrec frais, car les tiges sont très amères.

Couscous poulet marocain

Un plat parfumé et subtilement épicé, avec une sauce fruitée.

INGRÉDIENTS

Pour 4 personnes

1 c. à soupe de beurre
1 c. à soupe d'huile de tournesol
4 portions de poulet de 175 g/6 oz chaque
2 oignons coupés fins
2 gousses d'ail écrasées
1/2 c. à café de cannelle en poudre
1/4 de c. à café de gingembre en poudre
1/4 de c. à café de curcuma
2 c. à soupe de jus d'orange
2 c. à café de miel liquide
sel
brins de menthe fraîche, pour garnir

Pour le couscous

350 g/12 oz de couscous
1 c. à café de sel
2 c. à café de sucre cristallisé
2 c. à soupe d'huile de tournesol
1/2 c. à café de cannelle en poudre
une pincée de noix de muscade râpée
1 c. à soupe de fleur d'oranger
2 c. à soupe de sultanines
50 g/2 oz d'amandes blanchies et pilées
3 c. à soupe de pistaches pilées

1 Chauffez le beurre et l'huile dans une grande casserole. Faites revenir les morceaux de poulet, peau en dessous, 3 à 4 min., le temps que la peau soit dorée, puis retournez.

2 Ajoutez les oignons, l'ail, les épices et une pincée de sel, et versez le jus d'orange et 300 ml/1/2 pinte d'eau. Couvrez et portez à ébullition, puis réduisez le feu et laissez mijoter 30 min. environ.

3 Pendant ce temps, mettez le couscous et le sel dans un saladier et couvrez avec 350 ml/12 fl oz d'eau. Remuez une fois et laissez tremper 5 min. Ajoutez le sucre cristallisé, 1 c. à soupe d'huile, la cannelle, la noix de muscade, l'eau de fleur d'oranger et les sultanines et mélangez.

4 Chauffez 1 c. à soupe d'huile dans une casserole, dorez-y les amandes. Ajoutez le couscous en remuant, les pistaches.

5 Couvrez de papier sulfurisé le fond et les parois du panier d'un cuiseur à vapeur, et déposez-y le couscous. Posez le panier sur la casserole contenant le poulet (ou sur une casserole d'eau bouillante), et cuisez à la vapeur 10 min.

6 Enlevez le panier-vapeur et gardez couvert. Ajoutez le miel au bouillon du poulet et faites bouillir 3 à 4 min. Dressez le couscous sur un plat de service préchauffé et disposez le poulet par-dessus, en nappant avec un peu de bouillon. Garnissez de menthe fraîche.

Tacos au poulet et au chorizo

Achetés tout préparés et fourrés avec une savoureuse farce au poulet.

INGRÉDIENTS

Pour 4 personnes

1 c. à soupe d'huile végétale
450 g/1 lb de chair de poulet haché
1 c. à café de sel
1 c. à café de cumin en poudre
12 tacos
75 g/3 oz de chorizo haché
3 petits oignons hachés
2 tomates en petits morceaux
1/2 laitue en fines lanières
225 g/8 oz de cheddar râpé
salade de tomates, pour servir

1 Préchauffez le four à 180°C/350°F/Th. 5.

2 Chauffez l'huile dans une poêle teflon. Faites revenir le poulet, le sel et le cumin à feu moyen 5 à 8 min. Remuez fréquemment pour éviter que la chair hachée forme des morceaux.

3 Pendant ce temps, disposez les tacos côte à côte sur une grande tôle et faites chauffer au four 10 min. environ, ou selon les instructions données sur le paquet.

4 Ajoutez au poulet le chorizo et les petits oignons, en remuant bien pour mélanger. Faites revenir jusqu'à ce que le mélange soit bien chaud, en remuant de temps en temps.

5 Pour confectionner les tacos, mettez 1 à 2 cuillerées du mélange de poulet dans un taco chaud. Garnissez d'une bonne pincée de tomate, de laitue et de cheddar.

6 Servez immédiatement, avec la salade de tomate.

Pilaf de poulet

Ce plat, un repas complet à lui seul, peut aussi accompagner un curry fort agréablement.

INGRÉDIENTS

Pour 4 personnes

400 g/14 oz de riz basmati
6 c. à soupe de margarine allégée
1 oignon coupé en lamelles
1/4 de c. à café de graines d'oignon et de moutarde mélangées
3 feuilles de curry
1 c. à café de gingembre frais râpé
1 c. à café d'ail écrasé
1 c. à café de coriandre en poudre
1 c. à café de poudre de piment
1 1/2 c. à café de sel
2 tomates coupées en tranches
1 pomme de terre coupée en cubes
50 g/2 oz de petits pois congelés
175 g/6 oz de poulet cru, coupé en cubes
4 c. à soupe de coriandre fraîche hachée
2 piments verts hachés
750 ml/1 1/4 pinte d'eau

1 Lavez le riz et laissez tremper dans une bonne quantité d'eau froide 30 min., puis égouttez et réservez dans la passoire.

2 Dans une casserole de taille moyenne, faites fondre la margarine allégée et dorer l'oignon.

3 Ajoutez les graines d'oignon et de moutarde, les feuilles de curry, le gingembre, la coriandre et le piment en poudre, le sel, et faites revenir 2 min. en remuant bien.

4 Ajoutez les tomates, la pomme de terre, les petits pois et le poulet et mélangez bien.

5 Incorporez le riz égoutté en remuant doucement pour bien mélanger tous les ingrédients.

6 Ajoutez pour finir la coriandre fraîche et les piments verts. Mélangez et faites revenir 1 min. Versez l'eau.

7 Portez à ébullition, puis réduisez le feu. Couvrez et cuisez 20 min. environ.

Poulet cajun

Le poulet et le chorizo sont les principaux ingrédients de ce plat qui peut s'enrichir éventuellement de jambon cuit et de crevettes.

INGRÉDIENTS

Pour 4 personnes

1 poulet frais de 1,250 kg/2 1/2 lb
1 1/2 oignon
1 feuille de laurier
4 grains de poivre noir
1 brin de persil
2 c. à soupe d'huile végétale
2 gousses d'ail hachées
1 poivron vert, épépiné et coupé fin
1 branche de céleri, coupée fine
225 g/8 oz de riz long grain
115 g/4 oz de chorizo, haché
115 g/4 oz de jambon cuit, haché
400 g/14 oz de tomates en boîte aux herbes, coupées en petits morceaux
1/2 c. à café de piment fort en poudre
1/2 c. à café de cumin en graines
1/2 c. à café de cumin en poudre
1 c. à café de thym séché
115 g/4 oz de crevettes cuites et décortiquées
une giclée de sauce Tabasco
persil haché, pour garnir

1 Mettez le poulet dans une grande cocotte et versez 600 ml/1 pinte d'eau. Ajoutez un demi-oignon, le laurier, les grains de poivre et le persil, et portez à ébullition. Couvrez et laissez mijoter doucement 1 h 30 environ.

2 Le poulet cuit, sortez-le du bouillon, pelez-le, ôtez la carcasse et les os, et découpez la chair en petits morceaux. Passez le bouillon, laissez refroidir et réservez.

3 Hachez l'oignon restant et chauffez l'huile dans une grande poêle. Faites revenir l'oignon, l'ail, le poivron et le céleri 5 min. environ, puis ajoutez le riz en remuant bien de façon à enduire les grains d'huile. Ajoutez le chorizo, le jambon et le poulet réservé et faites sauter 2 à 3 min. en remuant souvent.

4 Versez les tomates et 300 ml/1/2 pinte de bouillon réservé, ajoutez le piment, le cumin et le thym. Portez à ébullition, couvrez et laissez doucement mijoter 20 min., ou le temps que le riz soit tendre et le liquide absorbé.

5 Ajoutez les crevettes et la sauce Tabasco en remuant bien. Laissez revenir encore 5 min., puis salez, poivrez et servez chaud, garni de persil haché.

Poulet « Galveston »

À l'ail et bien croustillant, c'est un des plats favoris des Américains.

INGRÉDIENTS

Pour 4 personnes

1 poulet de 1,500 kg/3 à 3 1/2 lb
jus d'un citron
4 gousses d'ail écrasées
1 c. à soupe de poivre de Cayenne
1 c. à soupe de paprika
1 c. à soupe d'origan séché
1/2 c. à café de poivre noir grossièrement moulu
2 c. à café d'huile d'olive
1 c. à café de sel

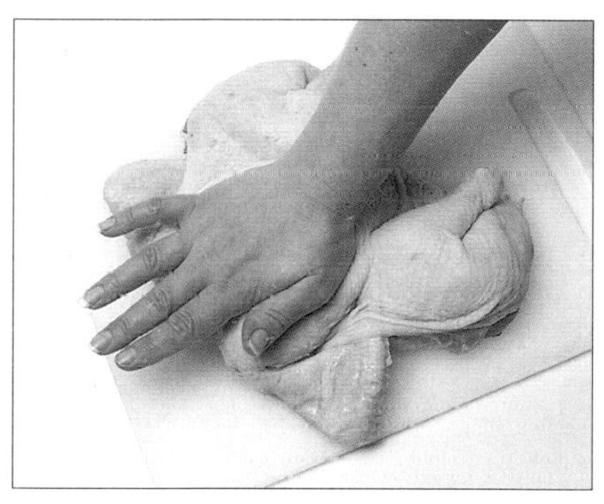

1 Avec un couteau bien aiguisé ou un sécateur à volaille enlevez la carcasse du dos, puis retournez le poulet, les blancs sur le dessus. Pressez avec la paume de la main pour briser le bréchet et aplatissez le poulet comme un livre ouvert. Enfilez une brochette et transpercez les hauts de cuisse de part en part, afin de maintenir le poulet à plat pendant la cuisson.

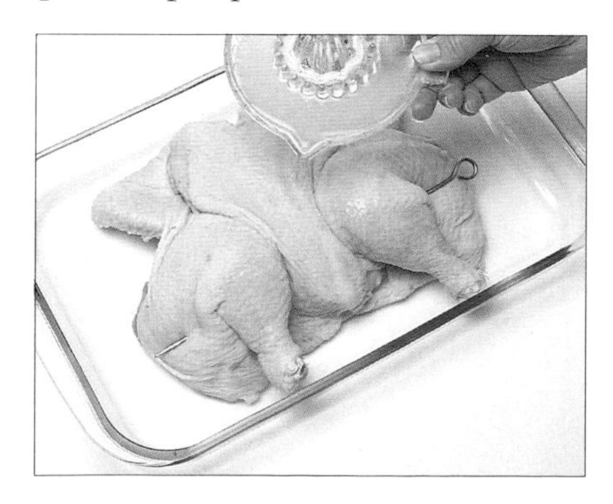

2 Mettez le poulet dans un plat creux et versez le jus de citron dessus.

3 Mélangez dans un bol l'ail, le poivre de Cayenne, le paprika, l'origan, le poivre et l'huile. Frottez toute la surface du poulet avec ce mélange.

4 Couvrez et laissez mariner le poulet 2 à 3 h à température ambiante ou gardez au réfrigérateur une nuit.

5 Salez, poivrez le poulet des deux côtés. Mettez-le dans un plat.

6 Enfournez le plat à four froid et réglez la température sur 200°C/ 400°F/Th. 6. Laissez au four jusqu'à ce que le poulet soit cuit, soit environ 1 h, en retournant de temps en temps et en arrosant avec les jus de cuisson. Pour voir si le poulet est cuit, piquez la chair qui devrait rendre un jus limpide.

ASTUCE

Un poulet qui cuit dans un four non préchauffé aura une peau particulièment croquante.

Poulet épicé à l'indienne

Un poulet mariné, bien tendre, qu'on peut servir chaud ou froid.

INGRÉDIENTS

Pour 4 personnes

1 poulet de 1,750 kg/4 à 4 1/2 lb
feuilles de salades variées (frisée et feuille de chêne, ou laitue et mesclun)

Pour la marinade

150 ml/1/4 pinte de yaourt nature allégé
1/4 de c. à café de paprika en poudre
2 c. à café de gingembre frais râpé
1 gousse d'ail écrasée
2 c. à café de garam masala
1/2 c. à café de sel
colorant alimentaire rouge (facultatif)
jus d'un citron

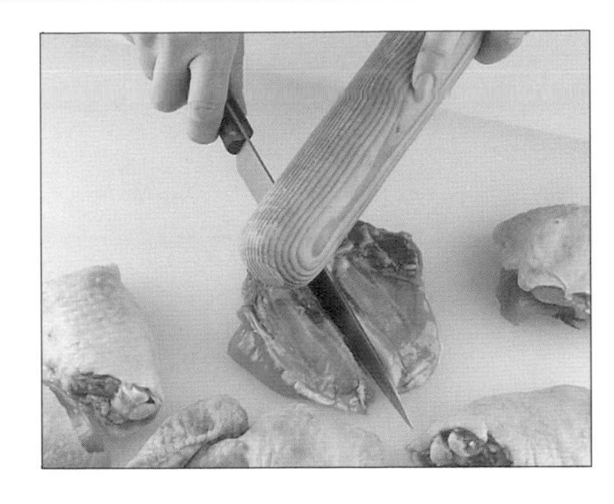

1 Découpez le poulet en 8 morceaux avec un couteau bien aiguisé.

2 Mélangez tous les ingrédients de la marinade dans un grand plat, badigeonnez les morceaux de poulet et mettez à rafraîchir 4 h ou pendant la nuit.

3 Préchauffez le four à 200°C/400°F/Th. 6. Retirez le poulet de la marinade et disposez les morceaux côte à côte dans un grand plat à feu. Cuisez à cœur 30 à 40 min. Réservez la marinade.

4 Arrosez avec un peu de marinade en cours de cuisson. Dressez sur un lit de salade et servez chaud ou froid.

Poulet au piment

Servez avec des pommes de terre et des brocolis pour un repas ordinaire, ou avec du riz pour un dîner de fête.

INGRÉDIENTS

Pour 4 personnes

12 hauts de cuisse
1 c. à soupe d'huile d'olive
1 oignon coupé en tranches fines
1 gousse d'ail écrasée
1 c. à café de piment en poudre
400 g/14 oz de tomates en boîte, coupées en petits morceaux et avec leur jus
1 c. à café de sucre cristallisé
425 g/15 oz de haricots rouges en boîte, égouttés
sel et poivre noir

1 Enlevez la peau et les os du poulet et coupez la chair en gros cubes. Chauffez l'huile dans une grande cocotte et faites dorer les morceaux de poulet uniformément. Retirez avec une écumoire et gardez au chaud.

2 Faites ramollir l'oignon et l'ail. Ajoutez le piment en poudre en remuant bien et cuisez 2 min. Ajoutez les tomates dans leur jus, du sel et du poivre, et le sucre. Portez à ébullition.

3 Remettez le poulet dans la cocotte, couvrez et laissez mijoter 30 min. environ, le temps que la viande soit tendre.

4 Ajoutez les haricots rouges et cuisez à feu doux 5 min. afin de bien les réchauffer avant de servir.

Poulet rouge

Un plat parfait pour recevoir. On fait mariner le poulet la veille de sorte que, le jour même, on n'ait plus qu'à le cuire à four très chaud et à le servir avec des quartiers de citron et une salade verte.

INGRÉDIENTS

Pour 4 personnes

1 poulet de 1,750 kg/4 à 4 1/2 lb, coupé en 8 morceaux
jus d'un gros citron
150 ml/1/4 pinte de yaourt nature allégé
3 gousses d'ail écrasées
2 c. à soupe d'huile d'olive
1 c. à café de curcuma en poudre
2 c. à café de paprika
1 c. à café de gingembre frais râpé ou 1/2 c. à café de gingembre en poudre
1 c. à café de sel
quelques gouttes de colorant alimentaire (facultatif)

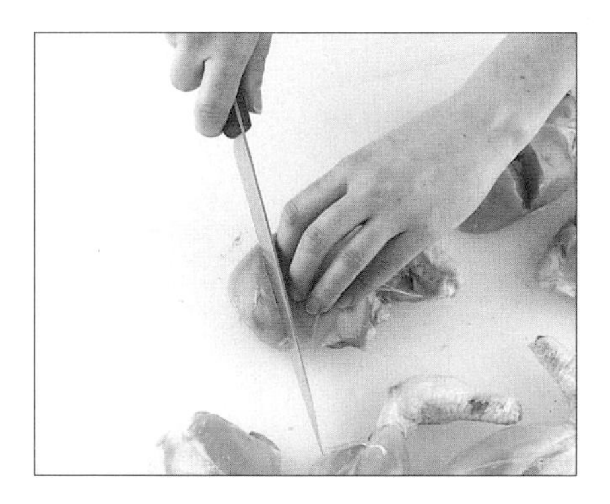

1 Pelez le poulet et pratiquez deux entailles dans chaque morceau.

2 Serrez les morceaux dans un plat en pyrex ou en céramique, arrosez de jus de citron.

3 Mélangez le reste des ingrédients et versez la sauce ainsi obtenue sur les morceaux, en les retournant pour bien les en enduire. Couvrez de film transparent et mettez à rafraîchir pendant la nuit.

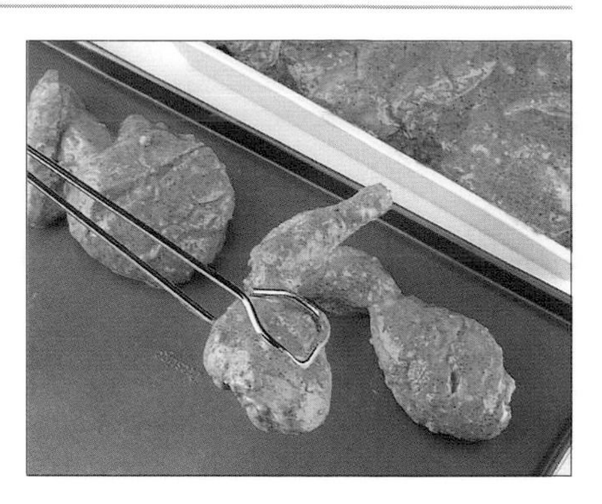

4 Préchauffez le four à 220°C/425°F/Th. 7. Sortez le poulet de la marinade et disposez les morceaux côté à côte dans un plat creux. Laissez cuire 15 min., retournez, et cuisez encore 15 min., ou le temps que la viande soit tendre.

Ailes de poulet à la chinoise

Parfait en amuse-gueule à manger avec les doigts. Prévoyez des rince-doigts et quantité de serviettes en papier.

INGRÉDIENTS

Pour 4 personnes

12 ailes de poulet
3 gousses d'ail écrasées
1 morceau de 4 cm/1 1/2 po de long de gingembre frais râpé
jus d'un gros citron
3 c. à soupe de sauce soja
3 c. à soupe de miel liquide
1/2 c. à café de poudre de piment
150 ml/1/4 pinte de bouillon de poulet
sel et poivre noir
quartiers de citron, pour garnir

1 Enlevez les ailerons qu'on utilisera pour faire du bouillon. Coupez les ailes en deux morceaux.

2 Mélangez le reste des ingrédients, sauf le bouillon, et nappez les morceaux de poulet avec la sauce obtenue. Couvrez avec du film transparent et laissez mariner pendant la nuit.

3 Préchauffez le four à 220/425°F/Th. 7. Sortez les ailes de la marinade et disposez sur un grand plat à feu. Cuisez au four 20 à 25 min. en arrosant de marinade, deux fois au moins au cours de la cuisson.

4 Dressez les ailes sur un plat de service. Versez le bouillon dans la marinade du plat de cuisson, faites réduire, et nappez-en les ailes. Servez garni de quartiers de citron.

Coquelets rôtis aux épices à la marocaine

Des demi-coquelets farcis à l'abricot et au riz garnis de menthe fraîche.

INGRÉDIENTS

Pour 4 personnes

75 g/3 oz de riz long grain, cuit
1 oignon de petite taille, haché fin
écorce et jus d'un citron
2 c. à soupe de menthe ciselée
3 c. à soupe d'abricots secs coupés en petits morceaux
2 c. à soupe de yaourt nature
2 c. à café de curcuma en poudre
2 c. à café de cumin en poudre
2 coquelets de 450 g/1 lb chaque
sel et poivre noir
tranches de citron et brins de menthe, pour garnir

1 Préchauffez le four à 200°C/400°F/Th. 6. Mélangez le riz, l'oignon, l'écorce de citron, la menthe et les abricots. Ajoutez en remuant la moitié du jus de citron, du yaourt, du curcuma, du cumin, et salez, poivrez.

2 Farcissez les coquelets avec ce mélange en introduisant la farce uniquement par le cou. S'il reste de la farce, on pourra la servir à part. Mettez les coquelets sur une grille, dans un plat à feu.

3 Mélangez le reste du jus de citron, du yaourt, du curcuma et du cumin et badigeonnez les coquelets au pinceau. Couvrez de papier d'aluminium sans fermer et cuisez au four 30 min.

4 Enlevez le papier et laissez cuire encore 15 min. (les coquelets doivent être bien dorés et un jus limpide doit s'écouler de la chair quand on la pique).

5 Découpez les coquelets en deux avec un couteau aiguisé ou un sécateur à volaille et servez avec le riz qui reste. Garnissez de quartiers de citrons et de brins de menthe fraîche.

Poulet gluant au gingembre

La sauce sucrée dont on enduit et dont on arrose le poulet devient brune et gluante sous le gril.

INGRÉDIENTS

Pour 4 personnes

2 c. à soupe de jus de citron
2 c. à soupe de sucre roux
1 c. à café de gingembre frais râpé
2 c. à café de sauce soja
8 cuisses de poulet, pelées
poivre noir
laitue et pain croustillant, pour servir

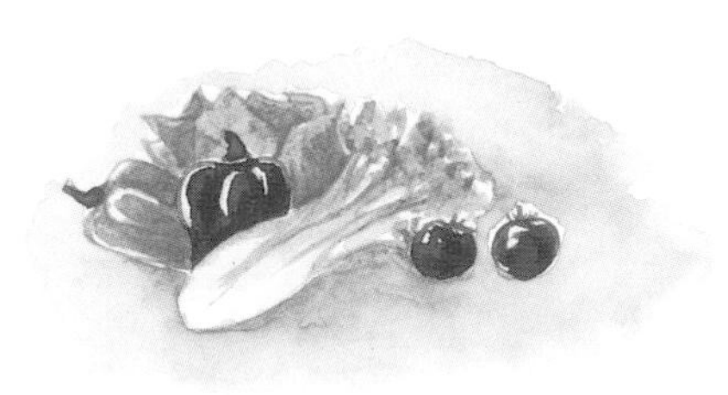

1 Mélangez le jus de citron, le sucre roux, le gingembre râpé, la sauce soja et le poivre.

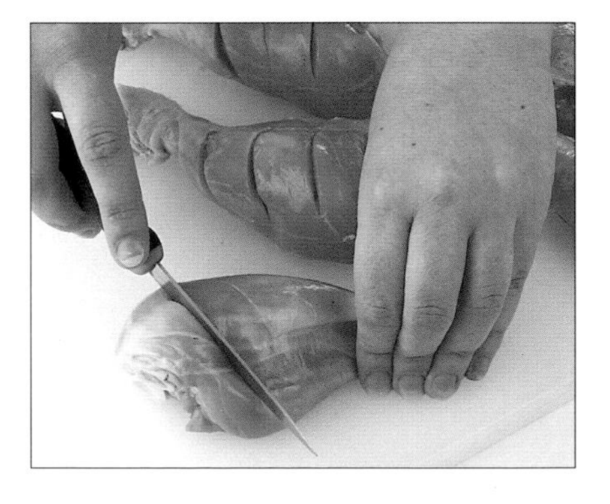

2 Avec un couteau aiguisé, faites trois entailles environ dans la partie charnue des cuisses, puis mettez le poulet dans la sauce pour l'en enduire.

3 Cuisez les cuisses de poulet sous un gril bien chaud ou au barbecue, en retournant de temps en temps et en arrosant de sauce. Servez sur un lit de laitue et accompagnez de pain croustillant, si vous le désirez.

Coquelets à la diable

Les coquelets sont rôtis « à l'écartée » (maintenus à plat grâce à des brochettes piquées transversalement).

INGRÉDIENTS

Pour 4 personnes

1 c. à soupe de moutarde anglaise en poudre
1 c. à soupe de paprika
1 c. à soupe de cumin en poudre
4 c. à café de ketchup
1 c. à soupe de jus de citron
5 c. à soupe de beurre fondu
4 coquelets d'environ 450 g/1 lb chaque
sel

1 Mélangez la moutarde, le paprika, le cumin, le ketchup, le jus de citron et le sel jusqu'à obtention d'une crème lisse à laquelle on incorporera peu à peu le beurre, en tournant bien.

2 À l'aide d'un sécateur à gibier ou de bons ciseaux de cuisine, coupez de part et d'autre de l'os du dos afin de le prélever.

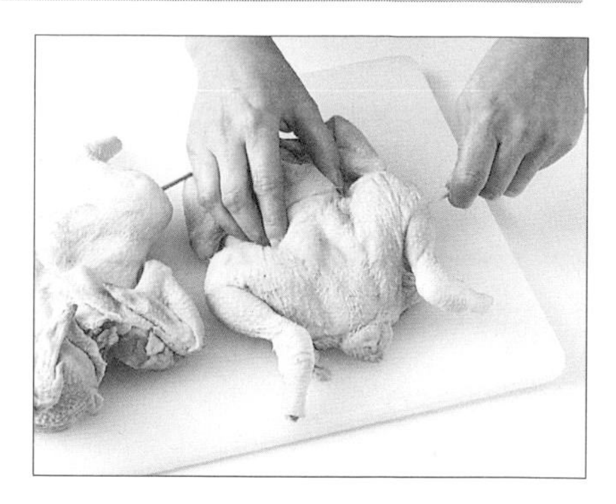

3 Posez le coquelet, blancs pardessous, aplatissez, fortement. Enfilez une longue brochette dans la cuisse et le haut de cuisse et percez le poulet de part en part, afin de le maintenir bien à plat. Répétez l'opération avec les 3 autres coquelets.

4 Étalez le mélange à la moutarde sur toute la peau des coquelets, couvrez et laissez reposer dans un endroit frais 2 h au moins. Préchauffez le gril.

5 Mettez les coquelets sous le gril, dos au feu, et laissez cuire environ 12 min. Retournez, arrosez et laissez cuire encore 7 min., jusqu'à ce que le jus soit limpide.

ASTUCE

Les coquelets embrochés à l'écartée grillent fort bien au barbecue. Une fois les braises prêtes, laissez cuire 15 à 20 min. en retournant et en arrosant fréquemment.

Sauté de poulet sucré aux épices

Laissez le poulet mariner suffisamment de temps pour que les parfums se développent complètement. Ensuite, faites sauter dans un wok ou une grande poêle.

INGRÉDIENTS

Pour 4 personnes

1 piment rouge haché fin
1 c. à café de piment en poudre
1 c. à café de gingembre râpé
écorce d'un citron vert, râpée fin
12 ailes de poulet
60 ml/2 fl oz d'huile de tournesol
1 c. à soupe de coriandre fraîche hachée
2 c. à soupe de sauce soja
$3^1/2$ c. à soupe de miel liquide
écorce de citron vert et brins de coriandre fraîche, pour garnir

1 Mélangez le piment frais, le piment en poudre, le gingembre en poudre et l'écorce de citron vert râpée. Frottez les ailes de poulet avec ce mélange et laissez reposer 2 h. au moins.

2 Chauffez un wok ou une grande poêle et versez la moitié de l'huile. Quand elle est bien chaude, faites sauter la moitié des ailes en retournant souvent, jusqu'à ce qu'elles soient bien dorées et croustillantes. Égouttez sur du papier absorbant. Répétez l'opération avec le reste des ailes.

3 Jetez la coriandre dans le wok chaud, faites revenir 30 secondes, puis remettez les ailes dans le wok et faites revenir 1 min.

4 Tout en remuant, ajoutez la sauce soja et le miel et faites revenir 1 min. Servez les ailes bien chaudes, nappées de sauce. Garnissez d'écorce de citron vert et de brins de coriandre.

Poulet au curry express

Le curry en poudre qu'on achète tout préparé peut être doux, moyen ou fort. Choisissez celui qui convient le mieux à votre palais.

INGRÉDIENTS

Pour 4 personnes

8 cuisses de poulet entières
2 c. à soupe d'huile végétale
1 oignon coupé en tranches fines
1 gousse d'ail écrasée
1 c. à soupe de curry en poudre
1 c. à soupe de farine
450 ml/3/4 pinte de bouillon de poulet
1 grosse tomate ronde
1 c. à soupe de chutney à la mangue
1 c. à soupe de jus de citron
sel et poivre noir
riz cuit à l'eau, pour servir

1 Séparez les hauts de cuisse des cuisses de poulet. Chauffez l'huile dans une grande cocotte et faites dorer les morceaux de poulet de tous les côtés. Retirez les morceaux et réservez au chaud.

2 Faites revenir l'oignon et l'ail dans la cocotte. Ajoutez la poudre de curry et laissez revenir 2 min. à feu doux.

3 Versez la farine en pluie et ajoutez progressivement le bouillon, le sel et le poivre.

4 Portez à ébullition, remettez le poulet dans la cocotte, couvrez, laissez mijoter à cœur 20 à 30 min.

5 Pelez la tomate après l'avoir pochée 45 secondes pour que la peau se détache facilement. Coupez en petits cubes.

6 Mettez la tomate dans la cocotte, ainsi que le chutney à la mangue et le jus de citron. Laissez cuire à feu doux jusqu'à ce que tout soit bien chaud, rectifiez l'assaisonnement au besoin. Servez du riz et des pickles indiens.

Poulet en sauce verte aux amandes

Ce plat en sauce épicée est originaire du Mexique.

INGRÉDIENTS

Pour 6 personnes

1 poulet de 1,5 kg/3 à $3^1/2$ lb, découpé en morceaux
475 ml/16 fl oz de bouillon de poulet
1 oignon haché
1 gousse d'ail écrasée
115 g/4 oz de coriandre fraîche, grossièrement hachée
1 poivron vert, épépiné, coupé petit
1 piment jalapeño, épépiné et coupé fin
275 g/10 oz de tomatillos en boîte (des tomates vertes mexicaines)
115 g/4 oz d'amandes en poudre
2 c. à soupe d'huile de maïs
sel
brins de coriandre fraîche, pour garnir
riz, pour servir

1 Mettez les morceaux de poulet dans une cocotte ou une sauteuse. Versez le bouillon, chauffez jusqu'à ce qu'il mijote et couvrez en laissant mijoter 45 min. environ. Videz le bouillon dans un pichet-doseur et réservez.

2 Mettez l'oignon, l'ail, la coriandre, le poivron vert, le piment, les tomatillos en jus et les amandes en poudre dans un mixer. Réduisez en purée plutôt épaisse.

3 Chauffez l'huile dans une poêle et faites revenir le mélange à feu doux 3 à 4 min. en retournant avec une cuillère en bois. Puis versez dans la cocotte contenant le poulet.

4 Mesurez 475 ml/16 fl oz de bouillon, en complétant avec de l'eau au besoin. Versez dans la cocotte tout en remuant. Mélangez doucement, laissez mijoter. Salez, poivrez. Servez aussitôt, garni de coriandre et accompagné de riz.

ASTUCE

Vous pouvez raviver la couleur de la sauce avec des feuilles de romaine. Prenez 2 ou 3 feuilles extérieures, les plus vertes, enlevez la côte centrale, coupez les feuilles en lanières et ajoutez-les au mélange à l'étape 2 de la recette.

Poulet bobotie

Ce curry doux, facile à découper, est idéal pour un buffet froid. Servez avec du riz et du chutney.

INGRÉDIENTS

Pour 8 personnes

2 tranches épaisses de pain de mie blanc
450 ml/3/4 pinte de lait
2 c. à soupe d'huile d'olive
2 oignons moyens, hachés fin
3 c. à soupe de curry en poudre, moyennement épicé
1,250 kg/2 1/2 lb de chair de poulet hachée
1 c. à soupe de confiture ou de chutney d'abricots, ou du sucre cristallisé
2 c. à soupe de vinaigre de vin ou de jus de citron
3 œufs de taille 4, battus
50 g/2 oz de raisins secs ou de sultanines
12 amandes entières
sel et poivre noir

1 Préchauffez le four à 180°C/350°F/Th. 5. Faites tremper le pain dans 150 ml/1/4 pinte de lait. Chauffez l'huile dans une poêle et faites doucement revenir les oignons, ajoutez le curry en poudre et laissez cuire encore 2 min.

2 Ajoutez le poulet haché et faites-le bien dorer de toutes parts, en séparant les « grains » de chair au fur et à mesure. Retirez du feu, salez et poivrez, ajoutez la confiture ou le chutney ou le sucre cristallisé, le vinaigre de vin ou le jus de citron.

3 Écrasez le pain à la fourchette dans le lait et versez dans la poêle avec un des œufs battus et les raisins secs.

4 Beurrez un plat creux à four d'une contenance de 1,5 l/2 1/2 pintes. Mettez-y le mélange à base de poulet en remplissant jusqu'au bord. Couvrez de papier d'aluminium beurré et laissez cuire au four 30 min.

5 Pendant ce temps, battez les 2 œufs restants et le lait. Sortez le plat du four et réduisez la température à 150°C/300°F/Th. 3. Brisez à la fourchette les morceaux de viande qui se sont formés et versez le lait et les œufs.

6 Parsemez le plat d'amandes et remettez au four sans couvrir 30 min. : le flan est bien doré.

Poulet biryani

Un curry succulent plus facile à préparer qu'on ne le croit.

INGRÉDIENTS

Pour 4 personnes

275 g/10 oz de riz basmati, rincé
1/2 c. à café de sel
5 gousses de cardamome entières
2 à 3 clous de girofle
1 bâton de cannelle
3 c. à soupe d'huile végétale
3 oignons coupés en tranches
675 g/1 1/2 lb de poulet (4 blancs de 175 g/6 oz), pelé, désossé et coupé en cubes
1/4 de c. à café de clous de girofle en poudre
graines de 5 gousses de cardamome, moulues
1/4 de c. à café de piment fort en poudre
1 c. à café de cumin en poudre
1 c. à café de coriandre en poudre
1/2 c. à café de poivre noir
3 gousses d'ail hachées fin
1 c. à café de gingembre frais râpé
jus d'un citron
4 tomates coupées en tranches
2 c. à soupe de coriandre fraîche hachée
150 ml/1/4 pinte de yaourt naturel
1/2 c. à café de pistils de safran, trempés dans 2 c. à café de lait chaud
3 c. à café d'amandes effilées et des brins de coriandre fraîche, pour garnir
yaourt nature, pour servir

1 Préchauffez le four à 190°C/375°F/Th. 5. Faites bouillir une casserole d'eau et jetez-y riz, sel, gousses de cardamome entières, clous de girofle, bâton de cannelle. Laissez bouillir 2 min., jetez l'eau mais gardez les épices entières dans le riz.

2 Chauffez l'huile dans une poêle et faites revenir les oignons 8 min., le temps de dorer. Ajoutez poulet, épices en poudre, ail, gingembre et jus de citron. Faites revenir 5 min. en remuant bien.

3 Versez le mélange dans une cocotte, posez les tranches de tomates. Saupoudrez de coriandre fraîche hachée, étalez le yaourt à la cuillère, couvrez avec le riz égoutté.

4 Aspergez la surface du riz avec le lait au safran, versez dessus 150 ml/1/4 pinte d'eau.

5 Couvrez hermétiquement et laissez cuire au four 1 heure. Dressez sur un plat de service préchauffé, en retirant du riz toutes les épices entières. Garnissez d'amandes effilées et de coriandre fraîche et servez avec du yaourt nature de qualité.

Index